JN200710

一九三六年（昭和一一年）―一九四四年（昭和一九年）

新住岡夜晃選集

［四］一筋の道

法藏館

壮年期の住岡夜晃
妻、和枝の遺品より。40歳前後の住岡と思われる（真宗光明団蔵）

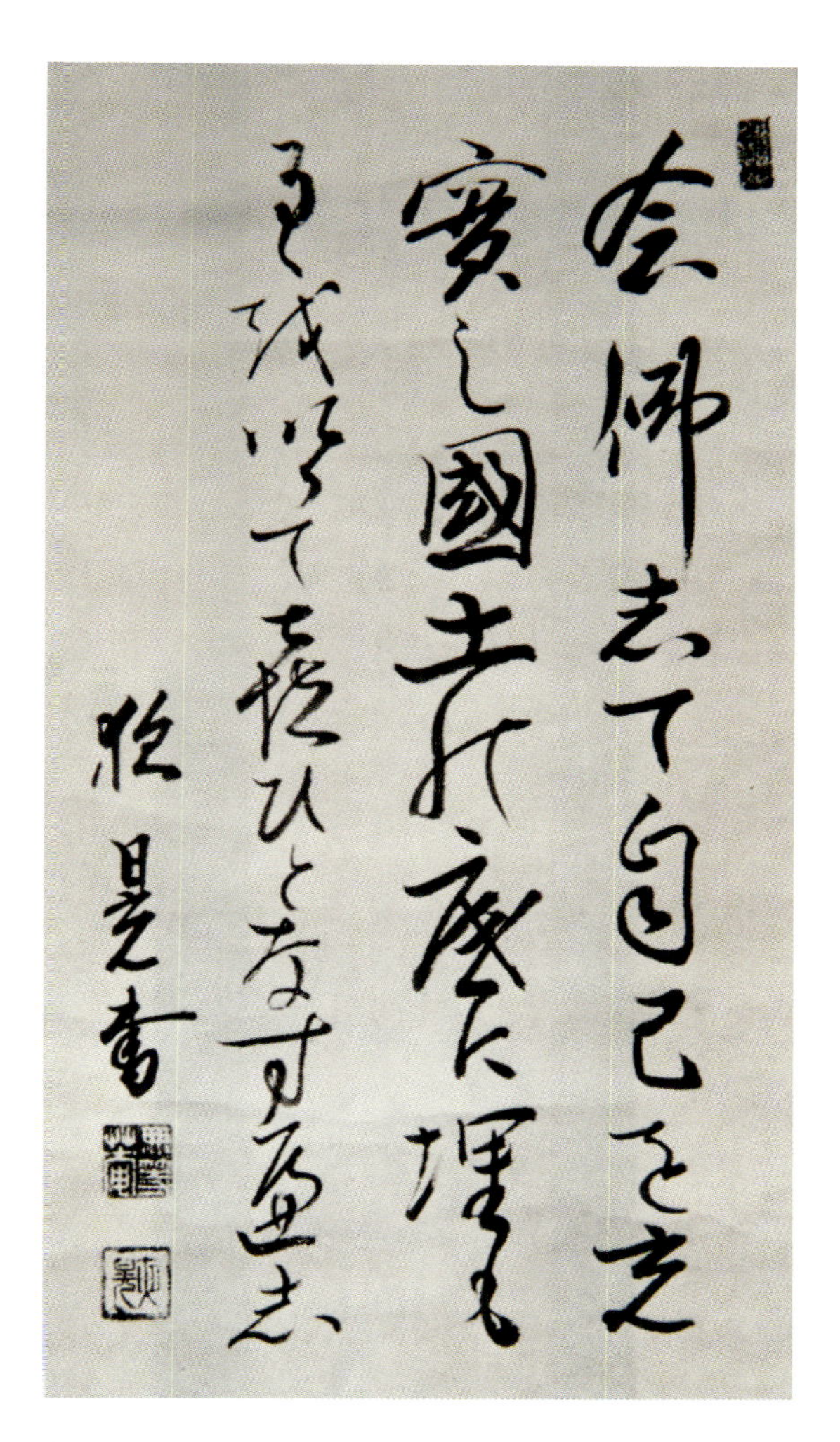

住岡夜晃による書

「念仏して自己を充実し、
国土の底に埋もるるを以て喜びとなすべし」（柳田家蔵）

住岡夜晃画「北越の親鸞聖人」
1935（昭和10）年、41歳頃の筆（真宗光明団蔵）

新住岡夜晃選集　第四巻　一筋の道　目次

第二章　正法に忠実なれ

第三章　回向のみ名

第五章　如来本願の真意

第六章　御同朋と共に

【凡　例】

一、『新住岡夜晃選集』全五巻は、『住岡夜晃全集』全二十巻（昭和三十六年～昭和四十一年）を底本に、「新住岡夜晃選集編集委員会」において文章を選別・編集した。

二、原文尊重を原則に、可能な限り住岡夜晃の文章通りとしたが、大正期から昭和二十四年までに書かれたもので、現代の読者に読み難いところもあり、以下の点については編集委員会の責任で修正した。

かな遣いや送りがな等は現代表記に改め、段落の区切りや行替えも一部修正したものがある。旧漢字は、現在一般に使用されている常用漢字等に改めるとともに、現在使用されていないもので平がなに直した方が分かり易いものは修正した。また、読み方の難しい仏教用語や漢字・熟語等には編集委員会において振りがなを付し、読者の読み易いように努めた。また、住岡夜晃が独特の読み方をしている箇所のものは、それをそのまま生かして振りがなを付した。

三、「経・論・釈」や親鸞聖人・法然聖人等の著作物からの引用文については、原則として住岡夜晃が使用していた『聖典』（明治書院刊――以下『島地聖典』という）を使い、かな遣いも表記のままとした。なお、漢字は常用漢字等に改められるものは変更した。

また、読者の利便を考慮して、引用文の後ろに（　）で、『島地聖典』、西本願寺の『浄土真宗聖典（註釈版、第二版）』、東本願寺の『真宗聖典』の記載場所を付加して掲載した。

＊『島地聖典』では、通しページ番号ではなく、例えば「二三―三」のようになっているが、「二三」は聖典記載の左右の欄外数字で『歎異抄』を指し、その三ページ目からの引用であることを示している。

（例）「念仏者は無碍の一道なり　そのいはれいかんとならば、信心の行者には天神地祇も敬伏し、魔界外道も障碍することなし　罪悪も業報を感ずることあたはず、諸善も及ぶことなき故也と、云々」　（島地二三―三、西八三六、東六二九）

四、文章の中には、差別や偏見など現代の人権感覚に合わない表現があるが、時代背景・歴史的事実にかんがみて、編集委員会としての判断で原文のまま掲載した箇所がある。しかし、差別を助長する意があって掲載するものではない。差別は大きな誤りであり、人権に関する問題は、仏教の教える深い智慧からも解決していくべき課題であると考えている。また、現代科学に即していない内容だが、原文のまま掲載した箇所もある。

五、節題や小見出しは、住岡夜晃の付けたもののままでは意図が伝わり難いと判断したものは、編集委員会の責任で一部変更したり追加したものがある。
（例）第四巻第一章の四「家庭の和楽」（原題）→「念仏中心の家庭」（本選集）

六、「注」については、難解な用語の右に番号で印をつけ、該当ページ近くに付けた。これについては、岩波書店発行の『広辞苑』（第六版）等を参考にし、編集委員会の責任で著した。

七、各巻の最後に、その巻の収録文章の「住岡夜晃著作出典一覧」を付けた。

八、住岡夜晃の生涯を紹介する「略年譜」については、第五巻『仏法ひろまれ』の末尾に付けてある。

以上

第一章　一筋の道

強いとは、念仏一道を歩みきることである。

「念願は人格を決定す　継続は力なり」

一　唯一人の人を

世の多くの人は、青年に宗教を、如何(いか)にしたら青年が宗教をと、青年を宗教に入れるのに苦心されるようである。しかるに私は決してことさら青年をと言ったことがない。私は如何なる老人でもかまわない。老婆でもいいし、青年でもよいし、壮年でもいい。実際において、本部の講習には、小は十四、五から、大は七、八十の人まで雑然として一緒である。目に一丁字のない人もいれば大学や、専門学校の教育を受けた人もいる。あらゆる種類の人を網羅している。

私にとっては、今までみ法(のり)を聞いたこともない若い人だけの時はかえって難しい。だから私は決して「若い人を」と言わない。しかるにそうすればするほど若い人が多く集まって来るようである。世の中は妙なものである。

私の講説は、難しいと言われる。確かに、私はここ数年御聖(ごしょうぎょう)教の講義より外に語ったことがない。そして私は、どんなに初歩の人が混じっていようが、文字を知らぬ老人がいようが、話を安易に下げない。あらゆる種類の人がいても、同一の話をしてゆく。

皆にわかる話をしようとするよりも、一句に三日かかろうが四日かかろうが、私の心が満足するまで頂いてゆく。だから、初めての人は何のことだかわからないと言う。

私は、話が主観的であり、取り付き易くて涙多くあるよりも、客観的な真理でありたいと願っている。このことが抜きになると如何に有難いようでも、揮発油のように飛散して後には我慢より外には何も残らないようである。

しかし如来の教法は三世十方に普遍の真実なるが故に、やがて衆生の機にぴったり妥当して、大信心を成就するのである。無理がないということは、煩悩の気に入るということではない。煩悩を救うということである。

世の宗教家の中には、その心がけが真剣で熱心にありさえすれば信仰は興ると思っている人がある。もちろん真剣でなくてはならない。しかし正法ぬきの真剣では、感情だけにおわる。そして何故に本気にならぬかと、他のみを責めたくなる。御本人が深くみ法を頂戴することである。大衆と共に深く細やかに大法を頂戴すれば、自然法徳に宗教は盛んになる。

私の一家は、平和にゆきません。私の会社は円満にゆきません。どうすればいいですか。

先ず貴方が大法を聞いて念仏なさい。そんな回りくどいことでなくて、もっと手っ取り早いことはありませんか。いや、それが一番早道であります。それが回りくどいと思っている貴方(あなた)

の心の中に一切を暗くし、円満に行かせない原因があるのです。

腹を立てるなとか、職務に勉励せよとか、そうした結論だけを、冷たく厳しく強いておれば、必ずそのあべこべの結果が現われて来ます。手っ取り早くとは、貴方の思うようにしたいことで、道理の如くならねばならぬのは、人ではなくてまず貴方自身です。

貪欲（とんよく）は、明日を錦（にしき）の上に座せんと望んで今日を泥土に委せ、念仏者は、今日一日を錦の上に合掌する。今日一日を除いては万劫（まんごう）にも尊い日はない。本願の名号は、信心の行者のゆく最勝無上の錦の大地である。仏法者には明日はない。然（しか）るに貪欲は、又しても明日への幻影を追う。

老人あれば老人と共に念仏すべし。若人あれば若人と共に念仏すべし。善人あれば善人と、悪人あれば悪人と、智者（ちしゃ）あれば智者、愚者（ぐしゃ）あれば愚者と共に唯（ただ）念仏すべし、全てこれこの錦の大地に生じたる浄華ではないか。現前の一人を軽んじて、名利（みょうり）の描く所の大衆を求むるは、念仏の意（こころ）ではない。貪欲である。妄想顛倒（もうそうてんどう）である。

青年を求めて念仏の人を求めず、肩書きの人を求めて念仏の人を求めず、金持ちを求めて念仏の人を求めず、名聞利養（みょうもんりよう）を求めて念仏の人を求めず。かるが故に、青年男女の機嫌を取って、その好むが如き餌を与え、地位のある人や金持ちの機嫌をとって、その好むが如き餌を与えんとする。仏法に非ざるものを与えて、助かるはずなく、それ故にやがて去ってゆくのである。

極難信(ごくなんしん)であろうと、難中之難(なんちゅうしなん)であろうと、唯これ純粋に仏道を説く、気に入らざれば去れ。何ものを以てもこれに媚(こ)びず、追わず。今、現に座にあって、この難値難見(なんちなんけん)の真実を聞く。来る人はこれ老若男女貴賤貧富を問わず、悉(ことごと)くこれ、希有最勝(けうさいしょう)の宿善(しゅくぜん)の人、尊しとも尊し。一人、千万人に値す。多人数を得ることは易く、真実の一人を得ること難し、真実一人のためならば、尽未来際(じんみらいざい)、火にも入るべし、氷にも入るべし、七重の膝を八重にも折るべし。我が所持の物、悉くをも与うべし。

得れば得て底を造り、聞けば聞いてコンクリートを胸底に造り、善は善、悪は悪、芯のとまる者の何ぞ多き、懈怠(けだい)、憍慢(きょうまん)の故に懈慢界(けまんがい)にとどまる。

「皆深く懈慢国土(けまんこくど)に著(じゃく)して、前進(すす)んで阿弥陀仏国に生ずること能はず　億千万衆、時に一人有りて、能く阿弥陀仏国に生ず」　（島地一二―一六四、西三八〇、東三三〇）

ああ、一人の人。尊ぶべき哉、一人の人。千万人を加うるも一人の親鸞聖人を得ることは出来ない。『唯信鈔文意(ゆいしんしょうもんい)』に云(いわ)く。

「唯はただこのこと一(ひとつ)といふ。二(ふたつ)ならぶことを嫌ふ語なり　また唯は『ひとり』といふ意なり」　（島地二〇―一、西六九九、東五四七）

と。

二　真の生き方

名利の煩悩

「一。『総体人には劣るまじきと思う心あり、此の心にて世間には物を為習(しなら)ふなり　仏法には無我にて候上は人に負けて信をとるべきなり、理を見て情を折るこそ仏の御慈悲よ』と仰せられ候」（島地三〇—一二三、西一一八二、東八八三）

「一。『人はあがりあがりておちばを知らぬなり　ただ慎(つつし)みて不断空恐(そらおそ)ろしきことと毎事(ことごと)に付けて心を持つべき』の由(よし)仰せられ候」（島地三〇—一二四、西一一八四、東八八五）

これは蓮如上人のみ教えである。人は貪欲中心に生きる限り、如何に念仏するとも、み法を聞くとも、必ずこの慈訓厳誡(じくんげんかい)にそむいている。ましてや仏とも法とも思わざる人に至っては、ついに「人に劣るまじき」と思い「あがりあがりておちばを知らぬ」ままに、空しくこの世を過ぎて行くのである。

たとえ、立身出世したとて、少しの金がたまったとて、五欲貪欲、煩悩のみの生涯には、ついに尊き何物もなく、道も光も真実の歓喜もないであろう。

しかして「総体人には劣るまじきと思う心」あるのも、「あがりあがりておちばを知らぬ」のも、共にこれ、人間の名利の煩悩のみに生きるが故である。

憍慢

「人はあがりあがりておちばを知らぬなり。ただ慎みて不断空恐ろしきことと毎事に付けて心を持つべきの由仰せられ候」

何故に上り上りておちばを知らぬ心を、慎みて空恐ろしく思うべきであるか。

その最第一の大怖畏は、大法が耳に入らぬが故である。如何に真実なる教えといえども、邪見憍慢なる心には受け付けないが故である。

人生にて真実なる教えを聞かず、大法に値わずして、あたら人生を徒食する、これに過ぎたる不幸があり得ようか。

真実教に値いたまいしが故に、不朽の聖者親鸞生まれ、これなかりしが故に、世に多くの悪逆が生まれるのである。

せっかく念仏の世界に足を踏み入れつつ、上り上りておちばを知らぬ故に、本願の真髄にふれず、大信成就せずしておわるのである。蓮師の厳誡したもうゆえんであるか。

上り上りて頭を下げず、大法耳に入らぬ者は、ついに如来の真実にふれず、内なる邪見我慢を見ず、合掌せず。かかる人はいたずらに怒ることのみ多くて、愚痴の心深く人を見下し、人と争い、貪欲の満足のみに走るが故に、家にあっては家を暗くし、世に出ては世間の闇の中心となる。

「不断空恐ろしきことと毎事に付けて」慎め、と言われるゆえんであろう。

大法により頭を下げて生きる人は必ず世の光となる。

唯この心に

「総体人には劣るまじきと思う心あり、この心にて世間には物を為習ふなり」

上り上りておちばを知らぬ心は、これが人に対する時「劣るまじきと思う心」となる。世間ではこの心のみにものを言わせる。名利の心、勝ち魂である。

人に劣るまい。人に敗けまい。人の後につくまい。人に馬鹿にされまい。地位を得よう。名高くなろう。人に従うまい。人を従えよう。こうした心で世間の事はなされてゆくのである。

人はただ営々としてこの心に使われて、苦を増しつつ死んでゆく。

無我

「仏法は無我にて候上は人に負けて信をとるべきなり」

（島地三〇—二三、西一二八二、東八八三）

仏法は無我にて候。

上り上る心も、劣るまじと思う心も、共に不純なこましゃくれた我に過ぎなかったのだ。如来の大悲はこの我を打ちのめし、我を我と知らしめ、無我の心を成就して下さるのである。

「仏法は無我にて候上は人に負けて信をとるべきなり」

「負けて信をとる」、信を獲ることこそ最大一の肝要である。「人に負けて信をとれ」とは有難きみ言葉である。負けて負けて、負けぬくことこそ信をとる道であった。負けるとは無我を意味し、信とは如来に生きることを意味する。人に生きずして如来に生きる。人において負けて、如来において勝れたる者こそ、無我の信の人であった。

まけるとは

人において勝とうとすれば、ますます我になって、勝って淋しく、負けて残念であろう。真に負けるとは「仏法は無我にて候上は、人に負けて信をとる」ことである。しかして、かかる意味で真に負けるとは、勝ち負けを決しようとする心、勝敗の心そのものを超えることである。

勝敗の心は我より生まれ、信は如来に通ずる無我の心、如来回向の心である。

諍論

「諍論のところにはもろもろの煩悩おこる、智者遠離すべし」

（島地二三―六、西八四〇、東六三二）

これは一つの尊重すべき仏戒である。

世には仏法について、他人と理論闘争して勝とうとする人がある。もっての外の間違いである。

「学問して人の謗をやめん、ひとへに論議問答旨とせん」

（島地二三―六、西八四一、東六三二）

とする人は、すでに如来を見失い、我をつのらせて、恐るべき邪道に入れるものである。

仏道はただこれを讃嘆すべし。

信は礼拝讃嘆となって現われ、上り上って勝たんとする心とならず。

勝たんとする我慢、汝の最大の怨敵と思うべし。

汝を暗くし、汝を空疎にする原因である。

理と情

「理を見て情を折るこそ仏のお慈悲よ」（島地三〇―一二三、西一二八二、東八八三）

これ真に頂戴すべき金言である。一生これを服膺して忘れず、今日一日の心得とすべきである。世間の多くの念仏者は、情によって理を歪め、煩悩の言うままを通して、理を棄て、他力本願の教えを、その浅間しき現実の言いわけに使う者がほとんどである。

「理を見て情を折るこそ仏のお慈悲よ」

己を空しうし、低うして、み法を聞き、教えを聞くべきである。しかして理の正しきを知れば、翻然として情を折り、理に随うて生きさせて頂く時、そこに念仏の美しき生活は生まれるであろう。仏のお慈悲の深さを知るであろう。

大法を聞け

されば、壁に耳をよせてみ法を聞け。
地に耳をよせてみ法を聞け。
たとえ目下の者の言葉なりとも、道理と知れば情を折れ。

いわんやみ法の説かれる聖会に値（もうあ）うことあらば、いよいよ恭敬（くぎょう）合掌して、言々句々、全身を耳にして聞くべきである。大法（だいほう）に対して無我である時、大法は初めて汝の心の食となり、やがて真の力となるであろう、大法を離れてついに人生何ものもなし。

真の生き方

教法を我よりも高くし、教法の前に低く合掌する時、教法は絶対の権威をもって、我に君臨し我らの誤謬（あやまり）を打ちくだいて、我を大法の如くならしめ、内に充実してますます、低く低く生かされるであろう。内に充実せざる者は、水に浮かべる軽石の如く、上り上りておちばをしらず、ただ他人に対しておとるまじと、負けじ魂（だましい）のみに乗って、外へ外へと流転するであろう。

憶（おも）え、生死無常の暗を。考えよ、汝の生の尊厳を。

頭を低く久遠の本仏の前に垂れ、合掌して耳を大法の前に澄ます時、汝は内へ内へと静かに喚ばれ、奥へ奥へと導かれて、清浄真実、歓喜の泉に魂を満たされるであろう。我が真の同胞は、大法に充実せしめられつつ、大地の底に沈んでゆく。

三　真実明に帰命せよ

子供の眼は晴れている。そして真正面から、人の顔を見る。しかるに、大人は、その心が曇って来て、まともに人を見得(え)なくなる。特に、自分を一番よく知っている人の眼を。

生きている間に、色々な傷を心に受ける。その思い出が、その人の心を縛って、自由自在に、朗らかに、明るく生きさせない。

如来の清浄真実の大悲は、この心を洗って下さる。六字の中に流れる寂滅の光は、一切の纏(てん)縛(ばく)を溶かして下さる。それだから信心の世界は、一心であり、光であり、懺悔(さんげ)であり、歓喜(かんぎ)であるのだ。

真実なるものを真正面に見ること、それが宗教であり、信心である。

如来は一面沈黙者である。

沈黙者であるが故に、心が痺(しび)れていれば、人間よりも恐くない。しかし、その沈黙者が、何よりも明瞭にものを言う。ものを言わないのは、教えを聞かないが故である。教えを聞くとは、如来の聖なるみ心を、善知識を通して聞くのである。如来は、一切を審判する神でもなく、衆生を罰する神でもない。ただ一切を救う大慈悲であり、一切を生かす真実功徳である。

しかし衆生が、教を通して、これを真正面に瞻仰(せんぎょう)する時、如来は衆生の心内の纏縛の綱を断ち切らないではおかない。破闇(はあん)とは一切の疑いの闇を破ることであるが、それは、教えが一切を打ち破って衆生心を清算せしめ、まともに久遠の真実を仰がせることである。

清算しきらないものが内にあれば、決してみ法が耳に入るものではない。心の弱い者は、種々の過古(かこ)の心の傷が、悔いや恨みになって、悩みとなって、邪魔をなし、心を暗くするし、心臓の強い者は、悪に麻痺して、ずるずる生きて何ともなくなる。いくらでも如来の教えをごまかしてゆけるようになる。はては、自己を、大衆を、仏法話でごまかして、笑わせたりして流れ渡るようになるのである。

南無は真実への開眼である。阿弥陀仏は真実そのものである。如来によって、如来に眼を開かれるが故に他力である。南無の機において、衆生は、如来の久遠の真実をまともに仰信するし、如来は、南無の世界において、衆生の上に久遠の真実を実現し、功徳の実を回向したもうのである。懺悔、慚愧は、こうした世界において起こって来るのである。

父、頻婆娑羅王を七重の牢に殺し、母を深宮に幽閉した五逆の阿闍世王が、遂に、真実を仰ぎ見なければならぬ日が来た。

『涅槃経』（信巻御引用）に言わく、

「その時に、王舎大城に阿闍世王あり　その性　弊悪にして喜んで殺戮を行ず　口の四悪を具し、貪・恚・愚痴にして、其の心熾盛なり（乃至）而るに眷属の為に現世五欲の楽に貪著するが故に、父の王辜無きに横　に逆　害を加ふ　父を害するに因りて、己が心に悔熱を生ず（乃至）心悔熱するが故に、偏体に瘡を生ず　その瘡臭　穢にして附近すべからず」

（島地一二一—九四、西二六六、東二五二）

痺れていた魂は蘇って来た。瞋恚の炎の消えた時、そこに横たわったものは、罪にさいなまされ、悔いによって熱悩する痛ましい我が相であった。その時、母の韋提希は、種々の薬を以て子の為に塗ったが、その瘡は遂に、増す分でも、治っては来ない。

「王即ち母に白さく『是の如きの瘡は、心より生じて、四大より起れるに非ず、もし衆生能く治すること有りと言はば、是の処あること無けん』」

（島地一二―九四、西二六七、東二五二）

こうした罪に泣く阿闍世に、外道の、理性さえくらまそうとする、因果撥無の法をいくら聞かしても、遂にますます苦悩が増すばかりであった。そうして遂に、耆婆大臣によって、

「大王、諸仏世尊、常に是の言を説きたまはく『二の白法有り、能く衆生を救ふ。一には慚、二には愧なり』」

（島地一二―九八、西二七五、東二五七）

とて慚愧の徳の広大なることを聞かされ、やがてその導きによって、待ちかねたもう世尊のもとに至った。世尊は月愛三昧の光、即ちその尊き証りより現われる人格の光によって、その熱悩を安らかならしめたまい、やがて王の為に説法をなしたもうた。その説法の中に、

「殺も亦是の如し、有に非ず無に非ずと雖も、而かも亦是れ有なり　慚愧之人は則ち『非有』と為す、無慚愧の者は則ち『非無』と為す」（島地一二―一〇五、西二八六、東二六四）

尊き哉、慚愧の徳、怖るべき哉、無慚無愧。無慚愧の者は則ち非無となすとは、悪の果報を受けること、慚愧の人は則ち非有と為すとは、慚愧の人は、果報を受けぬことである。

慚愧とは、真実なるものの前に真に頭を下げることである。阿闍世には初め無自覚があった。そして次には、悲痛な後悔、罪の責苦があった。そしてそれが更に世尊の説法によって深まって来て徹底せる慚愧となった。そしてそこに救いがあった。彼は言った。

「世尊、我世間を見るに、伊蘭子従り伊蘭樹を生ず、伊蘭より栴檀樹を生ずる者を見ず

我今始めて伊蘭子従り栴檀樹を生ずるを見る『伊蘭子』とは、我が身是なり『栴檀樹』とは、即ち是れ我が心の無根の信なり『無根』とは、我初より如来を恭敬することを知らず、法・僧を信ぜず、是を『無根』と名く　世尊、我若し如来世尊に遇はずば、当に無量・阿僧祇劫に於て、大地獄に在りて無量の苦を受くべし
　我今仏を見たてまつる、
是の見仏所得の功徳を以て、衆生の煩悩悪心を破壊す」と。
（島地一二―一〇五、西二八六、東二六五）

「我今仏を見たてまつる」

彼は、真実なるものを見たのである。大慈悲そのものに当面したのである。我「阿闍世の為に涅槃に入らず」（島地一二―一〇〇、西二七七、東二五九）とのたもう、還来穢国の大慈悲にあったのである。それ故に迷いは破れたのである。

「我初より如来を恭敬することを知らず」

「世尊、我若し如来世尊に遇はずば、当に無量・阿僧祇劫に於て、大地獄に在りて無量の苦を受くべし」

危い哉。衆生。「有に非ず無に非ずと雖も」もし無量阿僧祇劫に於て大地獄に、無量の苦を

受くれば「無に非ず」非無である。非無とは有である。果報を受くれば有である。しかるに世尊の大悲は、懺悔、慚愧して遂に、如来にむかって、合掌恭敬と、頭を下げる世界を回施したもうた。無根の信！　全くの無根の信である。

阿闍世はついに、真実なるものを真正面に拝むことが出来たのである。

真実なるものを無視するもの、それは救われない。多くの衆生がそれではあるが。真実なるものに恥じて顔をそむける者、それも救われない。

苦しくても、まばゆくても、真正面に、真実を仰げば、必ず内なる一切の縛着の綱を切って、安らかにして下さる。

縛着の綱は、教えを聞いて、自覚を通して切れてゆく。縛着を切るメスが、痛いところに触れることを嫌い、切らせずにおいて、お慈悲を喜ぶ世界は、煩悩の一時的気休めである。

感情が迷いを破るのではなくて、法門が智慧を成就して、迷いを破るのである。信心の智慧は、久遠の太陽を瞻仰する眼である。この眼のみが、我および人生の真相を知るのである。

気をつけて教えに聞き、世尊聖人の仰せの如く領解して歩ませて頂く気でも、世間は決して、誤解非難、攻撃の手をゆるめず、教えを聞かない者は、目こぼしに会って赦されるのに、本気になって歩めば、ますます人の眼の的になる。

だが有難いことには、世間千万の眼よりも、如来聖人の眼が光る。それ故にこの一道を生き得るのである。

もし真に恐るべきことがあるならば、世尊聖人の教えを無視し、如来大悲の真実を忘れて妄動することである。しかも常にこの恐るべき無慚愧をくり返している。

仰ぐべし、久遠の真実。そこにのみ、無根の信が光る。そこにのみ安らぎがある。そこにのみ、向上がある。そこにのみ一道がある。精進がある。龍樹（りゅうじゅ）は十二礼に、「瞻仰尊顔常恭敬（せんごうそんげんじょうくぎょう）」という。聖人は「真実明（しんじつみょう）に帰命せよ」と仰せられる。真実明を仰ぎ得る日、汝は真に安らかであろう。

四　念仏中心の家庭

せめて一家の中だけでも、安穏に平和にあらせたい。それはすべての人の願いであるに違いない。しかしたいがいの家には問題がある。年が改まるに当たって特にこの問題について考えたい。

一家の和は如何にして成就するであろうか。

答えは簡単である。念仏中心の家庭を成就することである。

念仏中心でない場合は、必ず生活は愛中心に営まれる。愛はそのまま憎しみを裏に持つが故に、もし愛が形を変えれば必ず、嫉妬、忿怨（ふんえん）、不満、呪咀（じゅそ）、等々の瞋憎（しんぞう）の炎となって燃えて来る。

夫婦は気が合っても、親子の間柄が悪かったり、姑（しゅうとめ）嫁の間はよくても、兄弟の間が面白くなかったり、家庭の者はあまりに近しいが故に、一度その間に溝が出来、相反するに至れば、その苦悩もまた深刻である。よし愛し合ったにしても、ほんとうに心が一つになってはいない。念仏の人になってみて、はじめてそれがわかって来る。

信心の智慧を恵まれると、もののわかりがよくなって来る。したがって問題になるようなことでも聞き流して問題にしない。念仏がないと、問題にならぬような一言でも問題になって、家庭を暗くする原因となる。

人間は勉強すれば随分賢いことを頭の中に入れることが出来る。しかし実際問題になると、小さいつまらぬ問題すらなかなか越えられない。古（いにしえ）の高慢な武士は、一言の行き違いででも、人を斬（き）った。

たとえ、貧困に苦しむような家庭であっても、親は子に、子は親に、心を一つにして仲よく戦いつづけてゆく時には、貧困はかえって美しいものをつくり上げる縁になる。

たとえ、何不足なく暮らしている裕福な家庭でも、五欲煩悩のみにものを言わせ、邪見我慢(じゃけんがまん)で、親は子を呪い、子は親を責めたのでは、家庭は悪魔の巣になって、決して人間は幸福ではない。

一家の主人は正しい生活者でなければならない。主人の体が弱くてさえ一家中は暗いのに、主人の生活が乱れて来て、甚しく不道義になり来れば、一家は荒涼たる墓場の如くになるであろう。

ましてや、国法に問われて獄舎(ごくしゃ)の人になり、社会的に葬り去られるが如きことあれば、一家は流離(りゅうり)の憂目(うきめ)を見るようであろう。私は新聞紙上で、官途(かんと)の人などが引かれたの、入れられたの、というのを見る度に、その家族衆のことが思われてならない。

父を人格者として尊敬することの出来る子供は幸い(さいわ)である。夫を人格者として敬愛することの出来る妻は幸いである。家の者を泣かせまいとすれば、主人はのろくてもいい、正しい道を歩むことである。

主人の信仰の有無は一家の死活の問題である。主人、念仏に生きれば、念仏は一家の家憲(かけん)となる。

一家の主婦はたとえば大地の如し。樹木も大地に樹ち、家も大地に建つ。虚楽の強い妻を持ってついに囹圄の人となった夫がある。一生貧困に悩む男もある。口のよく立つ女を持って、幾度も家移りしたり、親族中から勘当されたり、夫の社会的地位を台なしにしたりする。

幼くして親に従わず、嫁して夫に従わず、老いて子に従わず、反抗心や、ヒステリー以外に持たぬ女は、家庭の暗の中心である。

もし、それ、女の自慢が懺悔にかわり、綺語悪口がみ法の讃嘆や念仏にかわり、愚痴が感謝に、邪見硬直が柔軟に、瞋恚が歓喜忍従にかわったならば、主婦は一切を生かす源となる。時に老婆あり、その一言一動ことごとく念仏、常行大悲、真に観世音の化身かと思われる人がある。出世本懐を全うした幸なる人であり、家の宝と言うべきである。

親は大悲の心を心として子供に向かうべきである。百の冷たい叱責よりも、真の慈愛の言葉の一つが、子供の未来を明るく支配する。

その幼心におされた慈愛の印象こそは、他日千里の遠きに至れば至るほど、無形の綱となって子供を護り、あまりの堕落をせしめない。親を憶う心、そのままが故郷となる。齢七十にして、山に杉を植え込む親あり。

不幸にして悪い子供を持った親は、その子供の性格を知りつくして、子供がたとえおちぶれて橋の下に寝る日があれば、一緒に落ちて共に寝てやる覚悟を持って、愛しきって育ててゆくべきである。そうした覚悟を持った時、はじめて親の生きる道が見え、子供が救われるより先に親が救われて荷物が軽くなる。その徹した慈愛は、いつかは必ず子供の心に徹して、子供を更生せしめるであろう。

たとえ、良い性質の子でも、あまりに親が干渉しすぎて、事々にくちばしを入れていると、かえって子供は親の心を離れてゆく。しかし、慈愛は、時に放任し、時に叱責し、世界一の恐ろしきものともなれば、二葉をつみ取る鋏（はさみ）ともなる。

親は、如来の大慈悲に生かされ、やがて子供を如来の胸中に托すべきである。念仏の子は、親をして安心して墓場に入らしむるであろう。

慳貪邪見（けんどんじゃけん）な親を持って泣いている子がある。世にも深刻な苦しみである。しかし、孝道を成就しなくてはならぬことに変わりはない。いかに辛苦でも、まがりくねっても筍（たけのこ）はのびてゆく。巌上の松は岩を割って根を下ろす。

邪見な者は、口やかましく外からたたいたのではますます硬くなり、腹を立て、愚痴になるばかりである。老人になればなるほどこの傾向はひどくなる。

如何に悪逆な親の胸にでも、子供の真心は通じる。合掌して親の心に向かうべきである。心の扉を開く鍵は永遠に真実だけである。

家の中心を仏壇におくべきである。つまらぬものには大金を使うが、仏壇は至って粗末である。ラジオや楽器や贅沢な道具がたくさん備え付けてあるのに、仏壇がない。そうした家は決して健全ではない。家の構造すら、仏壇中心に考えらるべきである。

主人が中心となって、一家そろって、朝も仏前に合掌し、夕べも仏前に集って勤行（ごんぎょう）する。それをかかさぬ家に、はじめて如来中心の生活が成就する。

仏壇の花は枯れて薪（たきぎ）のようであり、いつ供えたかわからぬお仏飯が乾（ひ）からびている。一年中数えるほどしか仏参したことがない。かかる家庭には必ずどこかに無理がある。未解決な問題がある。

家庭は愛欲貪欲（とんよく）の煩悩の林か、聖なるものの現行したもう光の園か。考えねばならぬことである。

悪逆（あくぎゃく）の家は滅び、積善（せきぜん）の家は子孫長く余慶（よけい）をこうむる。遠き慮（おもんぱか）りあるものにして今を謹む。一家和楽（わらく）して道を成就すべきである。

家に仏壇があり、朝夕その前に礼拝するが如き家庭は、必ず祖先の祭を大切にする。七世の親及び現在の親に大孝を致すために、三宝に供養する所にお盆の意義がある。日本は祖先尊崇の国である。

念仏の生活が平凡なるが如く、家庭生活もまた平凡なるがよい。念仏道は平凡の偉大である。親まず念仏し、子また念仏し、夫念仏し、妻また念仏し、兄まず念仏し、姉まず念仏し、弟妹これに和して念仏すれば、一家は必ず不滅の和楽を成就するであろう。されば家をして安らかならしめんとすれば、人に求むることなく、まず一人信心決定(けつじょう)して念仏申すべし。

五　生活の純化

『大無量寿経』の浄土の荘厳(しょうごん)を頂いてゆきますと、「自然(じねん)に身に灌(そそ)ぐ」とか「自然に意に随(したが)う」とか、「自然に前にあり」「自然に飽足(ほうそく)す」というような文字が大変沢山あります。これは浄土の菩薩が全て皆自然にその願う所を満足することを示されたものであります。これは浄土の土徳(どとく)の然(しか)らしむる所であると共に、浄土の菩薩の生活を表されたものであります。

我らは生死の海の凡夫であります。でありますが故に、思うようにならぬことばかりであります。足らぬこと、満たされぬこと、不充分なこと、不足不満足なことのみであります。たとえ、満たされても、満たされた時は厭きる時であり、狃れてしまえば、飽いてしまって、終に衷心の満足のないことであります。これは生死海の物も、心も、有漏煩悩の所産だからであります。

今日の生活にも困りがちな家庭では、子供たちが五銭、十銭のお小使いをもらっても大変な喜び方をしますが、一歩誤って溺愛の為に、その言いなりに一円、五円と金を使わせて行けば、遂には物の恩を忘れ、その多きに狃れ乱れて、十円与えても何とも思わぬに至ります。そこで幼時からこうした習慣をつけないで、物の大切なことを知らしめ、不自由な中に成長せしめるのが世間の道であります。と言ってひきしめることに度がすぎれば、又かえって人生をひがみ、萎縮してしまうことであります。

こうした生死海にあって、我らの衷心の願いを満たし切って下さるものは、浄土のものであります。浄土の徳、浄土の法は、聞けば聞くだけ、得れば得るだけ、狃れること、飽くことを知らずして、いよいよ満足を与えて下さるのであります。それは浄土の一切は、無漏清浄だからであります。

浄土の菩薩が、一切を自然に心のままに満足するということは、浄土の土徳、如来の功徳の然らしむるところではありますが、それ故に浄土の菩薩は、五欲を命としないで、法味楽を生命とするが故であります。禅三昧為レ食とて、み法を心の食とし、涅槃の証をその所住とするが故であります。

人生もとより、法喜楽だけでは生きられないもので、衣食住の満足なくしては生き得ぬ世界でありますが、又それだけでは生きられぬ世界であります。

生死海にいつつ涅槃界のものを回向されて、汚い生死の中、清浄なる浄土のものを頂いて生きるのが、具体的な菩薩道であります。

そこに我らは、欲望の純化される世界を知るのであります。心の思うままにならぬのは、それが外から満たされないということもありますが、又、思うまじきを思い、求むまじきを求め、望むまじきを望むということもまた大因であります。この世が苦悩に充ちた処であることを忘れ、一歩優れた者は怨まれ嫉妬される処であることを忘れ、自分のほんとうの価値を忘れ、冬は寒く、夏は暑いことを忘れ、何もかも忘れて、求むまじきを求むが故に、いよいよ苦しい世界である、不満足の世界であると泣かねばならぬのでありましょう。

浄土の菩薩は、願うべきを願い求めるが故に、願うところとして満たされざるはなしともいわれるのでもありましょう。

日本国土の内には浄土に通ずるものがある。浄土の心が国民の心を純化して下さる。そのことを、この事変下において拝まれるようであります。信力が民力となって下さる処に、如何なる時にも不足な中に満たされた生活があります。

六　よろこびと生活

一。その人の才学で人を動かそうと思えば、ある程度までは動かすことが出来よう。しかしその次にはぱったり止まる。何故とまるのであろう。よく気をつけてみれば、その人が動いていない。

長く長く世道人心を動かしている人は、法の命ずるままに自ら動いた人である。自らは動かず、他人のみを動かそうとするところには、焦燥と怒りがつきまとう。人からみれば邪見としか見えない。

ねじがかかって来て、一つ車が動けば、時計の機械全体が動くように、一人真に動くことによって自然に周囲が動くのを徳というのであろう。

一人真にず抜けて御法を喜ぶ人があれば、必ず、その周囲には喜ぶ人が出来、真に道を行ずる人があれば、必ずその足跡には道の華が咲く。

一。指導的立場にある人が、いくら聞法するようでも、単なる学解におわるならば、その周囲には何時までたっても尊い華が咲くものではない。念仏を喜び、道を楽しむことが出来た時、自然に道は開けて来よう。

一。「通り一ぺん」という言葉がある。語の釈はどういうことであるかよくわからないが、魂がこもっていないことであろう。通り一ぺんの挨拶、通り一ぺんのお礼、通り一ぺんの言葉と、魂がこもっていない、生きていないものは、人をもまた生かさない。通り一ぺんという言葉ほど嫌なものはない。

大方が通り一ぺんのことばかりである時、真の念仏の同胞の一口は胸にせまることである。

「有難う御座います」。短い一言ではあるが、美しき人間生活の基調であると思われる。あるいは一代に一度もこの一句を心の底から口にしたことなく、人にも捧げたことなく、自らも言ったことなくして、世を終わる人があるかも知れない。

近頃、私は涙と共に「有難うございます」と真に感謝する人に大きな驚きを感じている。これのみ、自他一切を動かす力である。

一。山海の珍味も、胃腸が悪ければ頂くことは出来ない、したがって、如何なる御馳走も感謝の種とはならない。心腑（しんぷ）が病んでいる時も同一である。心に自力我慢の病があれば、如何に真実の大法も、久遠の真理も、これを受けつけるものではない。したがって「有難うございます」との感謝の情は湧いては来ない。小は家庭の内部から、大は国家まで、生かすか殺すかは、この一語にある。一切のものは「有難うございます」の一語によって生かされる。

一。子供のすることを喜んでやらぬ親。有難うございますと、喜ぶ心を培い育てずに大きくして子供を世の中に出すと、この子が大人になった時、人の上に立とうが、人の下につこうが、必ず、その行くところを暗くする人になる。

多くの場合、大人の精神的病源は子供の時に植えつけられる。

一。金を握らすか、酒を飲ますかしなければ喜ばぬ人間、名利（みょうり）権勢か、人間の享楽以外には喜びのない人間、この貧しい人間の心は、何時、誰が植えつけるのか。教育は神聖である。しかし時には殺人ほど恐ろしいことである。思い至ると心が暗くなる。世の教育者よ、教育学に火は燃えているか。

一。大人の心から割り出さねば教育はない。しかし子供の立場に立ってやらない、冷たい功利的な心からの、氷のような監視や律法で、そのすべてを縛ることは、他日の大患の種を播くに等しい。冷たい百の訓戒よりも、学校から帰った時の「ただ今」の声に、心から「お帰り」と応えてやるこぼれるほどの温かい母の声の方が、どれほどこの子の将来を大きく伸ばすか知れない。大きく太る力を持った木には一寸鋏を入れたら立派になる。こじくれた木は如何とも出来ない。

子供一人を真に動かす母は偉大である。

一。一切の母よ。子供の前で、夫に喰いかかったり、鬼になって見せたりしてくれるな。幼い日の印象は、五十になっても、思い出す度に心が暗くなる。大悲の御心に摂められて念仏して、子供に接してくれ。

一。心霊の故郷のない者は流転する。子猫の時、懐で大きくされた猫は、悪いことをして、頭をたたかれても逃げはしない。野良猫は、餌を持って招いても飛んで逃げる。子供に美しい楽しい思い出を作ってやれ。弊害のおきない限り。ある母は「私は子供が家に帰る時、必ず家にいるようにしてやります」と言った。この母の子だけには保証が出来る。如何に大人になっても、母の胸が、心の故郷であり、遠くへ手ばなしても堕落しないことを。

一。笑いのない家庭、おかしさ、滑稽、諧謔、そうした要素の欠けた家庭、嬉しい、有難い、楽しい、そうした言葉の不必要な家庭、そうした家庭の中からは、たいがい何かの形で家庭か国家かが、高い高い治療費を負担しなければならないものを出すであろう。

「有難うございます」。恩徳報謝の情のこぼれない仏法、それは、時に、一笑にも値しない場合がある。感謝がこぼれなければ高慢がみなぎる。仏法を聞いてこうなる人を二乗という。

一。心が冷えれば、万人ことごとく凍って氷の如く硬化する。それが鬼であり、蛇であり、罪障である。心が融ければ、万人ことごとく社会を生かす光となり、人格となる。大慈悲の前にのみ、

「罪障功徳の体となる　こほりとみづのごとくにて
　こほりおほきにみづおほし　さはりおほきに徳おほし」
（島地一一―一二六、西五八五、東四九三）

と大乗至極と言われるところの円頓の世界が開いてくる。

浄土の真宗、念仏の世界とは、如何なる悪人、凍りきった極重悪人の上にも、春風駘蕩の

春をもたらす。本願円頓の世界である。

一。温かい春の心に蘇った人は誰でも子供心になる。慈悲の乳房にとりすがった子心は、純そのものである。七十になっても、この幼心にかえりたいのが人の心である。であるから聖人は念仏の心を「子の母をおもうごとくにて」と仰せられた。

一。「道光明(どうこうみょう)　朗超(ろうちょう)　絶(ぜっ)せり　清浄(しょうじょう)　光仏(こうぶつ)とまをすなり
　ひとたび光照かふるもの　業垢(ごうく)をのぞき解脱をう
慈光はるかにかふらしめ　ひかりのいたるところには
　法喜(ほうき)をうとぞのべたまふ　大安慰(だいあんい)を帰命せよ」（島地一一―一四、西五五八、東四七九）

道は光る。明朗に輝く。その光こそ、清浄光であり、歓喜光であり、智慧光である。慈光はるかに摂取するところ、大慈悲のとどくところ、そこに道は生まれる。「有難うございます」と、頭の大地につくところ、法喜の泉は湧き出で、安穏(あんのん)の境にあらしめたもう。光のいたるところには業垢はのぞかれ、よろこびは訪れる。

何故に引きずる重い足ぞ。何故に灰色に曇る暗い心ぞ。心の垢(あか)を如何にする。急いで真実教を求めて走れ。そして、「有難うございます」と、法喜の泉に遇うまで求めぬ

いてゆけ。歓喜のうちに道は生まれる。道は光る。そこにのみ安らかさがある。仏は大安慰である。

一。Sさんは涙ぐみつつ私に語る。

「先生。有難うございます。どうしても御恩の報じようがありません。もとのままの私でしたら、こんな重い荷物の中におかれて、愚痴ばかりにまっ暗な心で、身動きならぬ苦の中に立っているでありましょう。おかげで、毎日足を軽く生きさせて頂いているのでございます」と純情そのものをかたむけて語るSさんである。自らが播いたのでもない重い荷物を一身に負うて、明朗に生ききっているこの人である。もし貪欲（とんよく）にものを言わせれば、一生は台なしであろうはずのこの人が、念仏一つに生きているが故に、重い荷物もこの人を輝かす檜舞台（ひのきぶたい）となっている。誰も彼もこの人の前には頭が下がる。念仏のある人もない人も、この人に接する限り鬼にはなれないであろう。村の光と輝いているこの人には、万金といえども、以て托すべし。

「道光明朗超絶せり」。業垢を洗う清浄光、歓喜を回向する歓喜光、光のいたるところ、宿業（しゅくごう）を超えての無碍道（むげどう）が開く。もしこの人から、「有難うございます」との心も言葉も取り除いたら何が残るだろうと、耳を傾けて聞き入りつつ思われることではある。教えを聞くことより外に何も求めず、報酬も願わぬこの人を、心の中に拝んで涙をおさえる。

一。心が荒れはてて沙漠（さばく）のようになればなるほど、貪欲、瞋恚（しんに）、愚痴の、三毒三垢（さんく）のみが頭をもたげて、邪見憍慢の病はつのり、無人空迥（むにんくこう）の灰色な荒野にゆき詰まるであろう。真実の教えに遇（お）うた者のみ、沙漠の中につきせぬ喜びの泉によみがえる。

現実の自己がどんな苦境におかれていても、必ず、この泉の恵まれることだけは確かである。しかし映画を見にゆく時間はあっても、仏法を聞く時はなく、自暴自棄に陥ってヤケ酒に家を空ける金はあっても、法を聞く気のない間は、どんなにもがいても、灰色の大地は続くであろう。そしてその心のままで、一、二席聞いて見て、「どうもわからない」と捨ててしまう間は、人生は味気ないものであろう。

「有難うございます」。魂の底から言えそうなこの一語が、なかなか言えないことではある。そこには超えねばならぬ多くの世界がある。今更に、宿善開発（しゅくぜんかいほつ）という言葉の意味を思うことである。

一。「有難うございます」と感謝するところに一切は生きる。妻の感謝に夫の一生が生き、夫の感謝に妻の一生が生きる。この院主にして真に生きたら、この村が、この町が真に生きるであろうと思われる場合がある。この院主の奥さんにして真に生きるならば、この院主の仕事はすべて生きるであろうのにと思われる時がある。一人の婦（おんな）が台所の隅でくすぶっている冷たさが、夫の描く書に墨をぬり、それがやがて一村に広がってゆく。一口、大地に五体投地して、「有難うございます」と言ってほしい。真実の教法よ、この人の耳に入りたまえかし。
十方衆生！　と呼びかけたもう大悲の悲しみがひしひしと念（おも）われる朝である。一切の経緯（いきさつ）を越えて大悲の御意（みこころ）に帰らせて頂こう。

七　智慧と報恩

「釈迦・弥陀の慈悲よりぞ　願作仏心（がんさぶっしん）はえしめたる
信心の智慧にいりてこそ　仏恩報ずる身とはなれ」（『正像末和讃』）
（島地一一―三五、西六〇六、東五〇三）

仏恩報ずる身となるということは、浄土の真宗に於ては、聞くべきを聞き、知るべきを知り、獲（う）べきを獲（え）、捨つべきを捨てて、その自覚の究竟的（くきょうてき）世界におしすすめられて行った者の至り得る最後の世界を意味するのであり、又仏道に入る者の必ず至らねばならぬ境地なのである。今、この世界を一口にして「信心の智慧に入る」といわれるのである。この信心の智慧に入ることを、又、願作仏心をうるといわれるのである。

その願作仏心即ち信心の智慧の世界は、釈迦弥陀の慈悲によって開かれたものなのである。恩を知るということは、人間の世界に於てのみあり得ることである。したがって恩を知らぬ世界ほど人間に遠く畜生に近い世界であるといい得る。そんなことは平凡なことである。確かに平凡なことに違いないが、道は何時でも平凡なものである。平凡なことが生きて来ないと大変なことが現われて来るし、又この平凡なことが生ききっても非凡なことが現われて来る。すべて浄土の真宗は、人間の心、人間の道が深められて行って、そこに開かれて来るようである。そこらに日常あるどんな出来ごとでも、それをとり上げて、深く掘り下げて行き、或いはこのことの本質的解決を得んとすれば、必ず、浄土真宗へと入ってゆくようである。恩の問題などでもそれである。

衆生往生の因果を説ける『大経』の下巻には、「人、信慧(しんえ)有ること難し」とか「其れ至心に安楽国に生れんと願ずること有らん者は、智慧明(ちえみょう)　達功徳殊勝(だつくどくしゅしょう)なることを得べし」とか「彼の化生(けしょう)の者は、智慧勝るるが故に」又、「其れ菩薩有りて疑惑を生ずる者は大利を失ふと為す。

是の故に明らかに諸仏の無上智慧を信ずべし」等、智慧という文字を甚だ多く使われてある。しかして智慧とは明信仏智のことであり、智慧無き者とは、不了仏智、即ち仏智疑惑の者のことである。しかしてこの二者の差をば、いと懇ろに説かれているのが『大経』である。『唯信鈔文意』には、

「選択不思議の本願の尊号・無上智慧の信心をききて一念も疑ふ心なければ『真実信心』といふ　この信心をうれば等正覚にいたりて補処の弥勒に同じくして無上覚を成るべしといへり、即ち正定聚の位に定まるなり　この故に信心やぶれず・かたふかず・みだれぬこと金剛の如くなり、しかれば『金剛の信心』といふなり」

（島地二〇―三、西七〇二、東五四九）

とあり、弥陀の無上智慧そのままの信心であるが故に、衆生の信もまた「無上智慧の信心」といわれるのである。かかる信心の智慧は、本願名号を説かれるところの『大無量寿経』、唯一の真実教を聞くことによって成就するのであるが故に、「釈迦弥陀の慈悲よりぞ願作仏心はえしめたる」と讃えられるのである。即ち二尊の意に信順する、無我の仰信のところに、信心の智慧、即ち仏恩報ずる生活を成就するのである。

何故に「信心の智慧にいりてこそ仏恩報ずる身とはなれ」と、仏恩を報ずる身となる為には、

信心の智慧を必要とせらるるのであろうか。智慧のないところには、恩を報ずる心も成就しないと説かれるようである。この聖人の仰せは考えて見なければならないことである。世には最高学府を出た身であっても親の恩を知らず、国家の恩を知らぬものがある。知らぬどころか大不忠大不孝の逆悪を、教育の力を借りてする者がある。これ皆、真実ならぬ教育、偽教育の賜である。真実の教育によって智慧を成就しなかったが為である。報恩謝徳は、智慧によって行ぜられ、智慧は真実の教えによって開顕せられる。

『大無量寿経』こそは、聖人によって断定せられたる唯一の真実教である。何故ならば、如来の本願名号を説くが故である。釈迦が釈迦のものを説くならば、真実教ではない。如来本願名号を説くが故に真実教である。如来本願名号こそは普遍広大なる大行である。したがってこれを聞信する衆生の信心は、この広大なる大行の具体的回向顕現であるが故に、智慧である。普遍平等なる徳、三世一貫の大行、唯一絶対の本願でなくて何で無上智慧の信心であろう。巷の八万四千の雑音は、皆、私の説く声である。何で智慧であろう。畢竟（ひっきょう）有漏煩悩（うろぼんのう）の声である。

「これに就（つい）て当時真宗の行者の中に於て、真実信心の獲得せしむる人是れ少し　ただ人目仁義ばかりに、名聞の心を以て報謝と号せば、如何なる志を致すといふとも、一念帰命の真実の信心を決定せざらん人々は、其の所詮あるべからず　まことに水に入りて垢落ちず

といへる類なるべきか」（『御俗姓』）（島地三四―一二、西一一二二、東八五二）

頂戴すべきである。真実信心を獲得しないならば、願作仏心はなくして、貪欲がものを言う。「ただ人目仁義ばかりに、名聞の心を以て報謝と号せば、如何なる志を至すといふとも」それは決して、真実なる恩徳報謝ではない。ここに於てこの問題は明らかになったのである。真実の智慧なくば三毒のみがものをいい、たとえ報謝と号するも内心は、貪欲に非ずば名利、名利に非ずば貪愛にして、遂に全我を捧げての報恩謝徳の生活は成就し難いことである。

「弥陀の名号となへつつ　信心まことにうるひとは
憶念の心つねにして　仏恩報ずるおもひあり」（島地一一―一二、西五五五、東四七八）

これはこれいわゆる冠頭和讃であって、

「誓願不思議をうたがひて　御名を称する往生は
宮殿のうちに五百歳　むなしくすぐとぞときたまふ」（島地一一―一二、西五五五、東四七八）

この和讃と共に、弘願真実門と、方便の真門とを対比して、和讃の大綱を示されたものであるばかりでなく、実に、浄土真宗に於ける真仮の判釈を標示されたものである。真実信心の人は、大悲憶念の心つねにして、仏恩報謝の志あり、念仏しつつ、仏智に対する疑惑あるものは、宮殿の牢獄に誡められて、三宝を見ず、大慈悲をえず、仏恩報ずる心を持たない。これ、

「不了仏智のしるしには　如来の諸智を疑惑して
罪福信じ善本を　たのめば辺地にとまるなり」（疑惑和讃）
（島地一一—三七、西六一〇、東五〇五）

と。罪福信ずるとて、功利的な心をすてることが出来ないことである。功利的な心は、自力貪欲であって、無我の仏智ではない。

この如来に対する疑惑の心こそは、衆生心内の本罪である。自覚を成就せざる根本の無明である。この根本無明を持つ限り、一切の行業は悉く、恩徳報謝の営みとはならない。

ああ、徳への開眼なくして何の生活ぞや。若し一度無上智慧の信心にして開発せんか。一、二の難行によって恩を報ずるのではない。その全我直ちに報恩謝徳である。一念信心の智慧に入ること即ち仏恩報謝である。故に、信心決定の称名念仏はこれを直ちに報謝の大行といわれるのである。

『安心決定鈔』に云く「若し一人なりともかかる不思議の願行を信ずることあらば真に仏恩を報ずるなるべし」（島地二八—一〇、西一三九九、東九五三）と。

八　一筋の道

この心

平素は、宗教などが要るものかと大言壮語して、得々として三毒煩悩のままに五欲中心に生きています。金はある、地位はある。不幸などと言ったものは我が家にはない。然るに愛子が病気になる、医師も重態を告げる、我が子可愛いやの親の情は、如何(どう)にかして病気を治してやりたい。ついに「信ずれば如何なる病でも治る」という迷信に走るのであります。迷信は唯に医者にかかられない貧民が入るのみではない。如何(いかん)とも出来そうにない不幸は、如何(いか)なる人をも見舞います。今や一世を挙げて迷信邪教に奔迷(ほんめい)していますが、それは社会のあらゆる階級の人に行き渡っています。人の世の全ての不幸を廃して幸福のみを得ようとする、この点に向かって敏感なる現代人は、不幸の全てを迷信に持ち込んで解決しようとしているのであります。

そうした人間の求めるものは正しい生活でも真実の道でもなく、ただ不幸の除却であり、幸福の獲得(ぎゃくとく)でありますから、手段を選ばず、邪正、迷悟を選ばぬのであります。ここに、我が子が世の不幸に泣いている。その親は、その子が「人の道」で助けられようが、キリスト教によろうが、あるいは仏教によろうが、手っ取り早く効果さえ挙げたらいいのです。そうした功利的な根性が、その親を無宗教にし、その子を迷信に走らせるので、無宗教と迷信とはものの一体両面であります。眼はその結果の上にそそがれているのであって、人格的要求の上に立っているのではありません。

『大無量寿経』十八願の宗教に於てはそうした功利的打算的な不純分の微塵の混入を許されません。宗教はそれ自体正善であり、大道であります。それ故に信楽（しんぎょう）するのであります。三世を貫く大道なるが故に正信さるべきであります。たとえ、その為に、不幸が来ようとも、苦悩が待とうとも、行くべき、歩むべき道なるが故に歩むのであります。聖人のいわゆる「地獄におちたりともさらに後悔すべからざる」大道であります。唯一必然の念仏道であります。それであるが故に真の安住が現前するのであります。

信ずる以前に

宗教は人間によって造られるものではない。真実宗教は、人間の信ずる以前、人間生活以前に実在する唯一の真実であります。これを信ずるの信じないのと言われるべきものではなくして、これを於て外に真実はない。これのみ真実であって、他は悉く迷妄であります。その迷妄を否定して、生命あらしめ、真実たらしめるものが即ち宗教であります。

人の至れる憍慢は自ら活きているとの偏見であります。自ら活きているものは宗教のみであり、他は一切生かされているのであります。この生かされてあることへの開眼こそ即ち信心であります。無量寿とは如来の体であると共にみ名であります。無量寿の生命は不断に回向せられています。無量寿の回向こそ如来の生命であります。この無量寿こそ、大善であり、大功徳であり、無限の法蔵そのものであります。名号の回向とは実に一切の回向であります。されば聖人は「不回向」の宗教、即ち凡聖一切の自力迷妄の回向を廃捨して、如来の回向顕現のみの真実を開顕せられました。

然るに、迷信者流は、この回向の本義を知らぬが故に、己が邪妄を偶像に回向して、その功利的欲念を満足せんとするのである。かかる邪妄の上に立てる善悪は、畢竟、善というも邪悪にすぎないのであります。枝末の苦悩より、その流転の根源へと覚めてゆくことを忘れています。

我等は、この唯一真実なる生ける如来への開眼、即ち信心の世界において、道の心源を覚知するのであります。是れ浄土真宗において、仏智疑惑を以て、生死流転の本罪とする所以であります。宗教への迷惑、迷妄は、人生及び我への全体の迷妄であり、悪であります。

感情

感情は人間生活の湿いであります。苦しまず、悲しまず、泣かず、笑わざるを以て、道に徹する者とするが如きは、枯木寒巌を以て士君子とするが如くであります。感情は、花における色彩の如く、火における熱の如く、実に人の世を荘厳するものではあります。しかしながら感情にして正しく養わざれば、かえって人の世を暗たらしめる根源となります。

宗教を以て一片の感情とするが如きは誤まれるもまた甚しいことであります。感情の動揺定まりなき芸術青年は、時に涙して感激し、あたかも十八願の世界の円融無碍に参徹したようであります。その涙も、もちろん、その場合御本人にとって偽りではなかったはずです。しかし熱しやすくさめやすくして、一度醜悪なる感情に見舞われるや、一切の宝玉も聖教も、それを一挙にして泥土に投入します。彼はそうした時も亦、自己の真実性を自ら信じています。かくして救われざる自己を転々として移しつつ、その間に甘き感情を求めて流転します。彼の求めるものは真理でなく、真実宗教でなくして、甘き感情の陶酔であり、幸福であります。であるから彼の歩みの足跡を検討すれば、唯その好感のよせられる、都合よきものからよきものへの、しどろもどろの千鳥足であります。そこに一貫の行歩を見ることは出来ません。彼は時に師の一喝よりは、路傍一婦女の甘言を高く受け取ります。しかして、かかる感情の子は、必ずその腹底、何ものにも頭を下げざる高慢、誹謗正法（ひぼうしょうぼう）の毒刃（どくじん）を研いでおります。

しかし、これが果たして人ごとでありましょうか。聖典の尊き言々句々よりは、浮薄（ふはく）なること竹紙の如き賞讃を天の好音の爆発するが如く思う心が、果たしてないでありましょうか。「我になし」とする所、すでに悪魔はそっと宗教なき迷妄の黒闇の中にひき入れております。

三世徹貫（さんぜてっかん）の生命道は、人間の感情に答えず、左右されず、それ自体現行（げんぎょう）します。現行して無限に浄化し、聖化して、やむ時がありません。聖化し浄化するが故に救済でありますが、かかる如来への開眼なき限り、貪欲（とんよく）等によってのみ流転するが故に、宗教は必ず自覚であります。感情は救済のみに涙せんとして、智慧光への冷たき開眼を拒みます。信心の智慧の成就されぬ限り、理智的な人といえども流転します。

一切衆生は三世徹貫の生命道に乗托すべきであります。

一筋の道

「△△は天才である」

「天才ではない。唯（ただ）よく精進を続けただけである」

「そのよく精進を続いた所が天才である」

こうした問答がある所でなされました。確かに一筋の道を継続して精進すれば一人の天才を造ります。如何（いか）に生来の大天才も、それが、気まぐれにパッと光るだけで、あとが続かなければ、線香花火にすぎません。

一筋の道を歩めば、必ず大成します。

一筋の道を歩めば、必ず輝きます。

一筋の道を歩めば、必ず歓喜が生まれます。

一筋の道を歩めば、必ず力が生まれます。

一筋の道を歩めば、必ず尊敬が生まれます。

一筋の道を歩めば、我が真実の相（すがた）が知られます。

一筋の道を歩めば、人生の真相がわかって来ます。

一筋の道を歩めば、必ず人格の上に誰も犯すべからざる筋鉄（すじがね）が通って来ます。

親鸞聖人が聖人たる所以（ゆえん）は、念仏道を一貫して行歩なさったからであります。しかも、その一貫相続の行歩が宗教においてなされたからであります。根本真実の上になされたからであります。

多くの場合、人と道とが対立しています。その対立や隔りを、はからいによって取ろうとします。しかし聖人にあっては、道と聖人と一体でありました。仏凡一体をそのまま自証し行歩し一貫されたのであります。多くの同行（どうぎょう）は、仏と自分とを別々にしておいて、その間を「そのまま助けてもらう」のだと、一生涯復習してもらいつつ、終に獲ることなくして世をおわるのであります。

順逆二境に随って山と谷、波乱万丈とおどる煩悩の波に翻弄せられながら、仏を都合よく話すことが宗教ではなくして、波乱万丈の雲霧の中を一貫したもう如来の本願力に乗托して、移り変わる煩悩を煩悩と内省自證して、仏願力の金剛不壊に安住することこそ、真実宗教であります。煩悩は千変万化の雲の如く一貫するものではありません。仏のみよく不動常住に一貫したもうのであります。

「汝一心正念にして直ちに来れ、我能く汝を護らん」（島地一二―六三、西二二四、東二二〇）如来は彼岸に招喚する。「直ちに来れ」と招喚されてあります。迂とて遠まわりしたり、廻とて進まないで一つ処を廻っていたりしないで、「直ちに来れ」と招喚されるのであります。世には釈尊や聖人を語る時には涙してその一貫行歩を讃えておきつつ、自分のことになると右や左を顧みて、無責任な世間の毀誉褒貶に一一会釈しつつ、止まったり、迂回したりしている人があります。如来のみ心にも忠実であり、煩悩の雑音にも親切であることが出来ましょうか。こうした人は、到底「我能く汝を護る」の摂取不捨の力強さを身を以て知ることは出来ないであろう。それは強敵に会えばがたがた震えてしまう武士と同一で、彼の内にはまだ永劫を貫く願作仏心、衷心の本願が明瞭でなく、自力がとれないのであります。如来の真実よりもまだ世間の名利(みょうり)の方が大切なのであります。こうした人は、一生涯何もかもめでたしめでたしに治めようとして終わります。

けれども又、それとは逆に、剛直なる我慢を出して、世間の反対に出会い、疑謗(ぎぼう)がおこれば、さながら自らの真実性の証明であるかの如く考え、誰の忠告も耳に入らず、乱を恐れざるに似て乱を好み、金剛不壊に似て、剛直人を制せんとするは又まことに悲しむべきであります。一筋の道を歩むに似て、我慢をおし通しているのであります。

粛々(しゅくしゅく)として一道を精進しなくてはならない。しかも内に我慢を光によって照破(しょうは)されて、世の疑謗にも耳をかたむけて、人をさけず、人を求めず、順境にも逆境にも唯(ただ)一筋の道を歩むべきであります。

世の治乱興亡を超えて、如来のみ、宗教のみ、不滅に輝いています。一切衆生が悉く反逆しようと、真実は依然として真実であります。一筋の道とはその宗教に生かされることであります。

一筋の道あり
この道現実より浄土に通ず。
一切群生(ぐんじょう) 無限の苦悩の底に

静かに必然に流るる至純の業力。
処を超え、時を超え、人を超えて
永遠に輝くたった一つの本尊
滅ぶべき一切の群生を乗せて
永遠の浄土にはこぶたった一つの力
この力全人格の上に動けばこれを「信」という。
如来は信なり、我も信なり。
彼我一体の信、ここに永遠の生命動く――。（『光明』第十巻八号巻頭言）

第二章　正法に忠実なれ

今日の生活がなぜ暗いか、ただ大法を聞かぬがためである。
今日の生活が何故味気ないか、ただ大法が生きて下さらぬがためである。
いかなる深刻な悩みも問題も大法の前には融ける。
ただ大法に忠実であれ。

一　泥中の蓮華

悪心おこる

「私はいくら聞いても駄目です。心にどうしても忘念忘想がおきて来てやみません」

こうした言葉を度々聞かされます。つまり如何に求道聞法しても、悪心(あくしん)が内に起こるが故に、信心が成就しない。自分は悪人だから救われないと言うのであります。

これは無理もないことでありますが、しかしそう思う人は、まだ自覚が根本的でないのであります。自覚の何たるかを知っていないのであります。

心の幅員

初めは、誰でも本気になって、教えを聞き、道を求めて精進すれば、内にも外にも悪心など起こらないようになるのだと思います。しかしそれは大変な間違いであります。

犬や猫等は、何等の文化的なものを持たぬのでありますが、彼等こそ、悪心も何も起こさない。したがって善心もない、ただ単純な本能的な動きがあるばかりであります。彼等は精神生活に幅員がないのであります。時計の振子には、左右へ振幅がありますが、動物にはその幅員がないのであります。人間でも動物に近い人ほど、幅員がないのであります。

この心の幅員の狭い人が、よく誰からか聞いたことをそのまま誠にしたりして、かっと怒り、大いに正義感、義侠心などをおこして、剣をぬいて斬ったりするのです。そうした人はたいがい善良そうな人であり、常識の欠けた単純な人が多いのであります。恐るべきは、かかる種類の人であります。

一念三千

「一念三千」と言うのは、天台の観法に言うことで、一念の心に、三千の諸法を具足することを観ずるのであります。三千と言うのは、地獄、餓鬼、畜生、修羅、人間、天人(てんにん)、声聞(しょうもん)、縁覚(えんがく)、菩薩、仏の境界を十界と言うのでありますが、その各々の一法界に十界を具して、百界となり、一界に三十世間が説かれて、ついに三千世界となるわけであります。「いやしくも心有れば即ち三千を具す」で、一念の心に上は仏の世界から下は無間地獄(むけんじごく)のどん底まで、三千世界を具足していると言うのであります。でありますから、心をただ一定の状態に固定しようとすることこそ無理であります。それよりも我が心の相は何であるか、そのありのままの相を深く知ることこそ、自覚体験の真実道であります。

でありますから、我等の心中にはいかなるものも動いております。貪欲(とんよく)、瞋恚(しんに)、愚痴(ぐち)の三毒はもちろん、鬼でも蛇でも、盗賊の心でも、詐欺師の心でも、およそ一切衆生の相は悉く(ことごと)八万四千の煩悩となって動いております。

如来の智慧が信心となって、ほのかに照破して下さる時、それらのものは、その光の前に正体を曝露するのであります。

しかるにもし、内に何等の光あることなく、外へ外へと外に引きまわされておりますと、かかる心内八万四千の煩悩は隠れて、その相を見せませぬ。相を見せぬ煩悩は、直ちにその人を支配する恐るべき力となって、その人を黒暗へと引きずります。たとえば、過去には、随分よいことをした気で、自分には天晴れ(あっぱ)、一大自覚の上に立って人の為に立派な事をしたはずのことが、後になって静かに考うれば、それは醜い自己の名利心の動きであったことがわかり、辱しくて自分ながら咬(か)んで棄てたいと思っても仕方がないことがあります。あるいは、如何にも自分は、学問があるとか、ものを知っておるとか吹聴しておいて、そっと自分に帰った時には、自分ながらいまいましいことがあります。これらは全てその時、自らの心中に光がなく、見えて来ない煩悩の為にやられていたのです。

時に高位高官や、社会の重要な位置にいる人が、我と自ら生命を絶ってしまうようなことがあるのは、初めは、ほんの僅かな名利の煩悩の相が見えて来なかったが為に、それに乗って動き出し、その名利心が順調に満足して、大きな幹となり、枝と繁る間に多くの悪事を成就して、ついに破綻が来たのであります。その一生は無意味なことであります。

悪人とは

人には、眼、耳、鼻、舌、身（からだ）、意（こころ）の六根が開かれています。したがって、六つの水路を持った池のように、外から流れ込んで来る水次第では、善い心も悪い心も起きて来ます。自分だけが、それを離れて生きて行く事は出来ません。又自分の心中におきた一切は、それが流れて人の心の池に入って、心を動かします。かくして一切衆生は、同一の海水に住む魚の如く、生（しょう）死海（じかい）を出現しつつ、生きているのであります。

「私は何と言う悪人でありましょうか。私ほどの悪人が何処にありましょう」

と念仏しつつ、泣き崩れている女の方を、じっと凝視（み）て思います。この方が娘時代であった頃、花の咲いたような陽気な方でありました。それが嫁して人妻となるや、その家庭には、物のわからぬ姑があり、意地悪い義弟妹があり、夫は気の荒い人であります。こうした中に一年二年と暮らしておれば、どんな悲しい思いもせねばならず、どんな悪い心をも引き出されます。それをじっと忍んでおれば、いよいよ苦悩が内にもえて、自分でもどうすることも出来ないほどの悪い暗い心の持ち主になります。しかしてそれは、世のいかなる人を、この中に入れても同一の状態になるのであります。今更、善人になれといった教えなど、もって来たとて、どのようにもなりません。それならそのままどうすることも出来ないのでありましょうか。

本願、現実の救い

私どもは、ここに本願の救いを有難く尊く思わずにはいられません。

「無明長夜の燈炬なり　智眼くらしとかなしむな
　生死大海の船筏なり　罪障おもしとなげかざれ
　願力無窮にましませば　罪業深重もおもからず
　仏智無辺にましませば　散乱・放逸もすてられず」

（島地一一―三五、西六〇六、東五〇三）

人生の暴風駛雨に会って、如何ともすることの出来ない現実の中に、救いを求める者にとってはこの二首の和讃が心からなる涙なくして受け取られるでありましょうか。

「無明・煩悩しげくして　塵数のごとく遍満す
　愛憎違順することは　高峯岳山にことならず」

（島地一一―三三、西六〇一、東五〇一）

この一首、我の正体、人生の真相をじっと凝視めた、偽らざる相であります。塵数の如き無明煩悩、高峯岳山の如き愛憎違順、それ自体私の真相ではないか。しかるに念仏の救いはその真唯中に成就せられます。

「弥陀・観音・大勢至　大願のふねに乗じてぞ

生死のうみにうかみつつ　有情をよばうてのせたまふ」

（島地一一―三六、西六〇九、東五〇五）

如来大悲は、誠に、誠に暴風雨吹き荒さぶ人生の現実の中にあって、永久に摂取不捨して、金剛不壊の真心、弘誓大船上に救い上げて下さるのであります。

たとえ悪心はおこるとも

恐るべき煩悩の心に追いたてられて、それによって動かされてゆくことは恐るべきであります。しかし、悪い心しか見えないからとて、その悪心を、我が力によって滅し尽くして、しかる後に初めてほんとうに生きるという人は、我及び人生の真相を知らぬ人で、大海の乾るのを待つのと同一であります。それではついに人生では、何事も出来ないことであります。

しかるに念仏道は、たとえば生死大海の舟であり、あるいは又罪業深き泥沼に咲く白蓮華でありま す。されば、如何に我等の現実が逆悪に満ちたものであろうとも、それに囚えられることなく、念仏行の大善、大行を行ずべきであります。

悪心はおこるとも大善を行ぜよ。心の波は打つとも念仏を行ぜよ。
朗(ほが)らかな娘も、その周囲の様子一つでは、暗い顔の嫁になる。
「私は何という悪人でありましょう。私ほどの悪人がどこにありましょう。……しかし有難うございます。私故のお救いでございました」と畳にひれ伏して念仏している女を拝む時、いかなる暴風駛雨にも、亡びたまわぬ如来金剛の誓願力を拝まずにはいられません。

この女の人は、内に、止むべからざる、怒濤狂乱(どとうきょうらん)の動きを見ているのでありましょう。それにもかかわらず、その衷心には、求めずにはおれない心、念仏せずにはおれない心、自分の心の底を見すえないではいられぬ光が訪れていることであります。機の善悪を超えて善悪の機のただ中に、如来本願の大行が生きて下さる時、いよいよ明らかに、一切が見えはじめて来るのであります。

如来を信ずる心、名号を聞く心は、一番尊い崇いものに通う心であり、その光に照らされて、現われ出る五逆謗法(ごぎゃくぼうほう)の我慢は、無間地獄を造る心であります。仏心に通うてのみ、逆謗の相が見えて来ます。浄土を知るもののみ、地獄を知る。

かくして大善の回向によって、善悪浄穢(じょうえ)のありのままを、深信し凝視しつつ、悪心は起ころうと、心の波は打ち上げようと、念仏の大行に生かさるべきであります。暗の深いことが光をともす邪魔ではなく、煩悩の深重なることが、念仏の華の咲きたもう邪魔にはならない。

いつまでも、ゴム毬の一端をおさえて、ふくれ上がるのを止めようとするような、大海の波を静めようと板塀をするような、愚かな自力を棄てて、直ちに如来常恒の大船に乗托すべきであります。光と暗とに眼を開かれて、ありのままの深さに徹することこそ、唯一の道であります。

二 足下を見る

何時も何か何かと非凡なことを求めて歩いている間に、平凡なことで大切なことを見落としてゆく。道に心がけるものは、外に非凡を追わず、常に内に、眼を開いて、不断に心掛けて生きてゆく。

後に、家庫まで飲んでしまうような大酒飲みも、生まれた時、盃を持って生まれたのではない。後に徳一世を風靡するような学者も、イロハを習った時がある。一字一句宛学んだのである。

不断の歩みほど恐ろしいものはない。平凡な不断の歩みほど後になって大きなものはない。大悪事を為すには、長い時間を要しない。数分間に一生を葬るようなことが出来る。しかし人の大成は一朝一夕には出来ない。平凡に見ゆる精進が絶対に必要である。年老いて、何ものもない人を見る時、その若き日のことを思う。誰も、導いてくれる人はなかったのか、叱ってくれる人はなかったのか。心が朽ちた木のようになる迄に、その麗々しい若い心に教えのメスを入れてくれる人はなかったのか。

老いたる心は硬く弱く、すでに何ものをも受け付けない。若人よ。今日何をしている。何を考えている。又しても窓の外を、若い男が「ああそれなのにそれなのに」と歌って通る。

「一。蓮如上人、幼少なる者には『まづ物を読め』と仰せられ候　又その後は『いかに読むとも復せずば詮あるべからざる』由仰せられ候　ちと物に心も付き候へば『いかに物をよみ声をよく読み知りたるとも義理をわきまへてこそ』と仰せられ候　その後に『いかに文釈を覚えたりとも信がなくばいたづら事よ』と仰せられ候」（『蓮如上人御一代記聞書』）

（島地三〇—三一、西一三〇一、東八九五）

上人の念の入った御親切ではある。まず物を読め。だが、悪書をどれだけ読んでも何にもならぬばかりか、却って害となる。心すべきである。何が何でも聖典の一冊くらいは、身の側においておきたい。

「いかに読むとも復せずば詮あるべからず」

これは幼少なるものだけではない。復習する。何回でも何回でも復習する。そして、聞いたこと読んだことが、初めは自分よりも、飛びはなれた難しいと思われたことが、常識になるまで復習する。常識になったことだけが、その人の真の力である。常識にまでならないことは、ノートの中にあり本の中にある。

賢い人とは、普通の人が、そんな難しいことがということを常識にしてしまった人のことである。

「ちと物に心も付き候へば『いかに物をよみ声をよく読み知りたるとも義理をわきまへてこそ』と仰せられ候」

義理をわきまえよ。わけがらがよくわからないと、自分のものにはならない。お経読みのお経知らず。実際にいざと問われたら、普通使っている言葉の意味さえ、ほんとうにはわかっていない。

お経やお聖教の言々句々は、その義理を明らかにすることによって、そのまま道をはっきりすることであり、己を明らかにすることである。であるから、学ばずして、高僧、聖者となった方は一人もない。高僧聖者は、経の言々句々が造ったのである。読書して義理をわきまえないのは読まぬにも等しい。

「その後に『いかに文釈を覚えたりとも信がなくばいたづら事よ』と仰せられ候」

信がないならば、徒事（いたずらごと）である。いくら文章の訳がわかっても駄目である。信は、積んだ薪（たきぎ）につけられた火である。信は流れる命の血液である。信がないということは、死んでいるということである。

学問も出来る、才能もある。理窟も言えば、仕事もする。それにたった一つ何か足らない。その何か足らないたった一つ、それが何であるか。云く信である。金剛不壊の信念である。

この足らないたった一つのものが、足らないままでものを言う。信心もものを言えば、無信心、無信念もものを言う。

隠しても隠しても、長い間には、腹の中がそのままものを言う。

足らないたった一つ、それを満たさないでおけば、そのかわりを外に求める。求めずにはおかない。そこでその人の歩みにすぐ出て来る。

生きること、結果を得ることに急ぐ前に、たった一つのものを成就することに思い至る者こそは常に常に自分の生活を教えによって、内省によって立てかえてゆく。

私は長期講習の準備のため、ある日、『大智度論』の巻七十三、阿毘跋致品第五十五を頂いていた。それは『浄土論註』の最初に、阿毘跋致、即ち不退転ということが出て来るからである。拝読している途中、私は率然として眼を止め、慄然として、襟を正した。それは、

「復次須菩提。菩薩摩訶薩乃至夢中亦不行十不善道」（復次に須菩提、菩薩摩訶薩は、乃至夢中にも亦十不善道を行ぜず）

との句に眼を奪われたからである。真の菩薩は、覚めている時はもちろん、夢中にすら十不善道を行じないと言われるのである。

「夢ほど真実はない」とある方は言われたそうである。聖人にしてもその他の聖者にしても、みな尊い夢を見ておられる。聖徳太子の夢のお告げ、六角堂の救世観世音の夢告等。聖徳太子は、夢殿に入って、ものをお考え遊ばしたとのこと。そうであろうそうであろう。私のような

悪逆は、夢にさえ、尊いことを見たことがない。畢竟（ひっきょう）、覚めている時、愚劣なことばかり考えているからである。

しかしこの智度論の一句は、尊い鏡となって、我を見せて下さった。これについて色々と考えることもあるが今は省く。

「一。『人はそら言申さじと嗜（たしな）むを随分とこそ思へ、心に偽（いつわり）あらじと嗜む人はさのみ多くはなきものなり』又『よき事はならぬまでも、世間・仏法共に心にかけ嗜みたき事なり』」（『蓮如上人御一代記聞書』）　（島地三〇—三七、西一三二二、東九〇二）

痛い御教訓である。善い事はない迄も、世間につけても、仏法につけても心にかけて嗜めと言われるが、先ずその事自体が、どうなっていようか。腹の中が、み光によって清算されていないと、することも為すことも、皆この教えを裏切って、悪事ばかりを積極的にしているのではないか。

「人はそら言申さじと嗜むを随分とこそ思へ」

口で嘘を言わない、言葉を謹むということを随分と思うと言われる。その言葉を嗜むということをどれだけ心掛けていようか。言い放しではあるまいか。

「心に偽あらじと嗜む人はさのみ多くはなきものなり」

心に偽あらじと嗜む、心に偽あらじと嗜む人、それはあまり多くはないとの仰せ。身にしみて有難いみ教えである。

人は如来に召されず、善知識を持たず、み光によって、偽ることの出来ない手術台の上に乗らぬ限り、ただ、心をゴマ化して生きる。「人問はば、海を山とも答ふべし、心の問はば、如何答へん」（古歌）。心の問う世界、心の声をゴマ化すことの出来ぬ世界が、宗教の世界である。招喚のみ声は、この世界において初めて聞えて来る。


お念仏を申しつつ、静かに足もとを見つめて生きさせてもらうべきである。聖人は懇ろにお諭し下さった。『末燈鈔』に云く、

「われ往生すべければとて為まじきことをもし、思ふまじきことをもおもひ、言ふまじきことをも言ひなどすることはあるべくも候はず　貪欲の煩悩に狂はされて欲もおこり、瞋恚の煩悩に狂はされて、猜むべくもなき因果をやぶる心もおこり、愚痴の煩悩にまどはされて思ふまじきことなどもおこるにてこそ候へ　めでたき仏の御誓のあればとてわざと為まじき事共をもし、思ふまじき事どもをも思ひなどせんは、よくよくこの世の厭はしからず、身の悪き事をも思ひ知らぬにて候へば、念仏に志もなく、仏の御誓にも志の在しまさ

ぬにて候へば、念仏せさせたまふともその御志にては順次の往生も難くや候ふべからん」

（島地二一―一六、西七四四、東五六四）

誠にみ教え頂くべきである。蓮如上人教えて云く、

「一。『行さき向ばかり見て足下を見ねば履みかぶるべきなり　人の上ばかり見てわが身の上のことを嗜まずば一大事たるべき』と仰せられ候」

（島地三〇―二七、西一二九一、東八八九）

と。

花の咲いたような気になった時、油断すると後の悔の種を播いている。

三　讃嘆

邪見とは

邪見な者は、口を開きさえすれば、他人の悪い所や欠点ばかりとり挙げて話する。聞き辛いものである。

憍慢(きょうまん)な心は、口を開きさえすれば、誰をでも二束三文にこき下ろして、他をつまらぬ者のように貶(おと)して自分だけを賢く上げる。

聞きづらいものである。しかも我々はいつもこれを犯している。

たとえ相手が悪いにしても、不徳であるにしても、それをこき下ろしたり、悪く言うのは、いいことではない。そのことによってその人の徳が無くなりこそすれ、決して上がりはしない。

私は近頃この事について深く考えさせられている。しかし、こうした邪見な自己を他人がどう買ってくれたかと言うことよりも、人を悪く言った後には、言いようのない淋しさがある。それは、煩悩の誘惑のままに動いたからであって、魂のどん底には、それではおちつかないものがある。ほんとうの願いは、それではないからである。

他人のことをあまりに裁きすぎる人が、人の悪口を言いつつ、鬱憤(うっぷん)を晴らせば晴らすほど、暗い顔嫌な顔をしているのは、そうすればするだけ、魂の願いを裏切っているからである。そうすることが衷心の願いではないからである。邪見憍慢は心のほんとうの願いに反することではあるまいか。

美しきもの

大地の上には、いかなる時、いかなるところにも必ず、徳の華が咲く。徳の華こそ、美しくもまた尊きものである。

それと共に尊きものは、徳の讃嘆、法の讃嘆、人格の讃嘆等、讃嘆の声である。徳を讃嘆する人の周囲には、更に美しい華が咲く。徳の讃嘆者は徳の華の栽培者である。

「前住上人……御夢御覧候　御堂上壇南の方に前々住上人御座候て……前住上人へ対しまいらせられ仰せられ候『仏法は讃嘆・談合にきはまる、よくよく讃嘆すべき』由仰せられ候（中略）それに付いて仰せられ候ふは『仏法は一人居て悦ぶ法なり、一人居てさへ尊きに、まして二人より合はばいかほどありがたかるべき　仏法をばただ寄合寄合談合申せ』の由仰せられ候なり」（『蓮如上人御一代記聞書』）

（島地三〇―二九、西一二九五、東八九一）


喜ぶ者は、喜ばせ、讃嘆する者は、讃嘆させる。

百の議論より、一の讃嘆こそ、仏法の華を咲かせる。

花は独りいて咲き、念仏行者は「一人居て悦ぶ」。一人居て念仏相続し悦ぶに至って、一人前の念仏行者であり、人間である。「一人居てさへ尊きに、まして二人より合はばいかほどありがたかるべき」。一人居て悦ばれざる者、幾人集まるとも、み法の華園は生まれず。

如来の讃嘆者は、如来の徳の華園の人である。彼はたとえ未だ念仏せざる人に対してすら、この讃嘆の心をもって向かう。それ故に、彼の周囲には、新しい華が咲出でるのである。美しき人格をほめるかわりに、念仏せざる人をば罵倒するが如きは、未だ如来の心を知ったものではあり得ない。

如来を讃嘆する者は、諸仏によって讃嘆せられる。

徳への開眼

聖賢も時に、凡夫(ぼんぶ)の悪罵(あくば)嘲笑の的となることあり。
悪人凡夫も時に、愚者の賞讃の的となることあり。
念仏の行者は、村に開く上上華(じょうじょうけ)であり、街に咲く希有華(けうげ)である。しかるに、念仏行者もまた罵(ののし)られる。

和讃に曰く、

「五濁(ごじょく)増(ぞう)のときいたり　疑謗(ぎぼう)のともがらおほくして
道俗ともにあひきらひ　修するをみてはあだをなす」
(島地一一―二九、西五九二、東四九六)

「有情の邪見熾盛(しじょう)にて　叢林棘刺(そうりんこくし)のごとくなり
念仏の信者を疑謗して　破壊瞋毒(はえしんどく)さかりなり」
(島地一一―三三、西六〇二、東五〇一)

「五濁の時機いたりては　道俗ともにあらそひて

念仏信ずるひとをみて　疑謗破滅さかりなり」（島地一一―三四、西六〇二、東五〇一）

聖人の御在世すでに然りであった。衆生の邪見はますます盛り、あたかも叢(くさむら)や林の如くしげく烈しくなり、毒の刺(とげ)ある棘(いばら)の如く恐ろしく、念仏の行者を見れば、疑い謗(そし)りて、これを瞋(いか)り打ち壊さんとして増長する。

善導大師は『法事讃』に、

「五濁増する時、疑謗多し。道俗相嫌ひて、聞くことを用ひず、修行するもの有るを見て、瞋毒(しんどく)を起し、方便破滅して競うて怨(うら)みを生ず」

と仰せられた。聖者は誰も彼も、この瞋毒の叢林棘刺の間を歩みたもうたのであった。聖者は、邪見の衆生をこそ悪(にく)みたまわず、これをその慈悲海に抱きたもうに、凡夫はそれを知らず、かえってその肉を刺す棘刺となる。世間の大燈明を滅さんとする悪逆となって世にはびこる。

徳に向かって開眼せられざる凡夫は、いつの世にも、その最大の恩人を配所に送り、血を流さしめ、やがてこれを葬(ほうむ)り去らんとした。聖者は、その中に無碍道を展開し、法を生き、道を讃嘆してその徳を発揮した。

徳に対して目を閉ざしているもの、これを凡夫といい、徳に開眼した者、即ち菩薩である。信心とは如来の徳への開眼である。

愚悪を知れ

信心の行者は念仏の人である。称名念仏して、身を以て如来の徳を讃嘆して生きる。

我等は、小賢しく議論して仏法を弄び、智者ぶるが故に、頭を下げず、称名念仏せざる人よりも、素直に頭を下げて念仏する愚者の方に心を奪われる。

称名讃嘆は愚者の大行である。

学んでますます愚者となり、聞いていよいよ悪人に至る。

久遠の真実、胸中に顕現したもう。内に底に沈潜すれば、内に愚悪我慢の塊みつるに、何で区々たる議論にとどまられよう。

大聖龍樹念仏したもう。天親、曇鸞両菩薩念仏したもう。聖善導念仏し、聖人また念仏したもうに、悪逆の凡愚、念仏せず。恥ずべし。痛むべし。

褒貶を越えよ

功徳の成就するところ、必ず、大千感動してやがて人を動かし、讃嘆の声は自然におこるであろう。しかし讃嘆の声を予想して為されたことは、すでに悪魔の仕業であって、真実の功徳ではあり得ない。

讃嘆を求むる者は、たとえ一時は一道を精進すとも、その周囲これを称讃せず、かえって悪罵に見舞われるや、道を棄て退転して邪道に迷惑するであろう。まして、いかなる世界にも讃嘆はあり得るが故に、その安価なる讃美に心引かれて、向上進展なく、ついに為すことなくして一生を終わるであろう。されば、真実一道を生きんとするものは、毀誉褒貶を越えて、如来招喚のままに、教えの如く歩みきるを以て、生命としなければならない。悪魔は必ず、名利の煩悩につけ入って、その甘心を買い、その人を迷路に誘う。されば、如来聖人、善知識の護念証誠に生きて、世の讃美を求むること勿れ。

一道

ああ。如来の光明、法界に輝いて暗に業苦に泣く衆生をして、如来を讃嘆する歓喜の人となしたもう。求めざるに与えられたる真実教は、讃嘆すべき唯一のものを知らしめたまいぬ。何を褒むべきかの解決は、ついに人生そのものの解決であり、道そのものの解決であった。

報謝の生活、未だ微塵も成就せざるに、恩徳洪水の如くあふれ、邪妄内に充つるに、浄華の衆、我を囲む。

誡むべし我が心、讃嘆の声をつかんで浮き上がり、非難の声に怒って沈まんとす。されど我に念仏ありて一道開く。如来を仰ぎ、仏徳を讃嘆して、一生を過ぎん。幸なる哉。

四　自他の尊重

『大経』に言く「未だ曾て慢恣せず、衆生を愍傷す」（島地一―四、西六、東四）

一日そして一生

「一日の行事尊重すべし。一期の行歩尊重すべし」

凡夫は時の移るままに、今日一日一日を無自覚に過ごし、そして一生を無意味に終わる。しかし無意味にしたことも、やがてはそれが大きな意味を以て迫り、苦悩の大因となる。我を反省すれば、誰でも思い半ばに過ぎるものがあろう。他日泣かねばならぬ種は大概そこから発している。

兎にも角にも、今日一日だけ、石橋をたたいて渡る気、水さえ噛んでのむ気、足もとに気をつけて歩ませて頂く、大法を憶念しつつ、我が心の相、口の言うところ、手のするところ、今日一日気をつけて生きさせて頂こう。一生を台なしにするような大失敗も、一生を輝きあらしめるような出発も、ある日の今日なされるのである。

今日一日を尊重するものは必ず一生を尊重する。人生という舞台に登場したことを重々しく考えられる人のみが今日一日を尊重する。

一言一行

「一言尊重すべし。行住坐臥尊重すべし」

言語はほとんど人格のすべてである。軽薄なる人物に軽薄なる言語があり、卑しき人に卑しい言語がある。かるが故に、言語の軽い人は他人から必ず軽んぜられる。

親鸞聖人は「南無阿弥陀仏」と称えて、不朽の大聖となり、哀れなる場末の寄席の旅芸人は「ナマンダブ」と悲惨なる滑稽を語って漸く口に糊している。同一の語も時により人によって死活天地の差が出来る。

『安心決定鈔』に云く、

「念仏三昧に於て信心決定せん人は　『身も南無阿弥陀仏・心も南無阿弥陀仏なり』と思うべきなり　……身を極微に摧きて見るとも報仏の功徳の染まぬ所はあるべからず　……心を刹那に千割りて見るとも、弥陀の願行の遍ぜぬ所なければ、機法一体にして心も南無阿弥陀仏なり　……吾等が色心二法（身と心のこと）・三業（身口意の三業）・四威儀（行住坐臥のこと）すべて報仏の功徳の至らぬ所なければ、南無の機と阿弥陀仏の片時も離るる事なければ、念々みな南無阿弥陀仏なり　されば出づる息・入る息も仏の功徳を離るる時分なければみな南無阿弥陀仏の体なり」（島地二八―五、西一三九〇、東九四八）と。

一言一行を尊重するというも、絶対不二の大行の生きたもうことによってのみ、如実となるを知るべきである。されば行住坐臥久遠の真実を憶念すべきである。

自他の尊重

「己が生活尊重すべし。他人の生活尊重すべし。
一人の人尊重すべし。万人悉く尊重すべし」

己を尊重するものは、他を尊重し、己が生活を厳粛に考えるものは、他の生活を厳粛に考える。

真実に聞其名号信心歓喜（もんごみょうごうしんじんかんぎ）の世界に生かされたものが、一度み法（のり）の会座（えざ）にあるや、首を動かさず、眼をそらさず、一言も聞きもらさじと、善知識を尊重し、大法を尊重し、会座を尊重し、同行善知識を尊重する。これによって大信自らその人に充満して、千万金の重き人格となるのである。久遠劫（くおんごう）の古（いにしえ）より尽未来際（じんみらいざい）にわたって、たった一度の尊重なる時を得る者は、我をしてここに至らしめたる因縁のすべてを、尊くも有難く拝むが故に、過古（かこ）に会いたる一一の人、一一の経験、一一の世界、すべてものを言わざるものはなく、深い人生の意味を大慈悲によって見出すのである。

しかるにかくも尊き時と所を持たざるものは、風に首振る張子の虎の如く、右顧左眄、如何に尊き時も所も、ただ二束三文にすごし、首を振り眼を転じ、猫の錦に居るに異ならず。己を尊重せざるが故に他を尊重せず、尊きものをも尊ばざるが故に、己も遂に何ものをも得ずして浅薄な世界をおわるのである。

仏菩薩は必ず一一の衆生を尊重したもう。「哀愍衆生」とは、大悲衆生を尊重したもうの謂である。一文不知の老婆と言えども、世尊の眼には絶対である。さればこそ、至愚の周梨槃得も尊者となり、下賤の優婆利も尊者となる。公侯もとより尊ぶべし。一老一婆尊ぶべし。しかるに凡夫名利の子、大廈高楼、権勢名利に叩頭して、拝むべきを拝まず、尊ぶべきを尊ばず。一切大衆の心を蹂躙するが故に、彼を尊む者はないのである。尊重の問題は、畢竟、自覚の問題である。

利己と軽薄

「己を尊重するかに見えて、人を侮るを利己といい
他人を尊重するかに見えて、己を侮るを諂曲と言う」

自己を尊重するように見えても、それによって他人を侮り、自ら憍慢の頂に上っているの

は、決して自己を尊重しているのではない。それは貪欲の利己心にすぎない。気取れば気取るほどおかしく、高ぶれば高ぶるほど人は見下げる。

他人を尊重するかに見えても、己を侮り、己を傷つけ、お世辞、へつらい等によって他の歓心を買わんとするは諂曲である、諂曲の心は極めて軽薄である。他を尊重するに似て、貪欲の奴隷となって己を売るのみである。

上に諂う者は下を侮り、上に反逆するものは下に諂う。尊他なき自尊は人を虐げ、自尊なき尊他は人を偽く。

己を下げ、相手の徳を上げるを恭敬という。合掌恭敬は、仏家の行儀なるも、己を下げる恭敬の中には微塵も己を侮る軽薄あるべからず。金剛の信心に住して動かざるは仏子の日常なるも、絶対の信心に、人を侮る利己憍慢あるべからず。

内に充実するものは外にたよらず。他人の些々たる誤解にすら怒るものは、自らを侮るもの。金は誤解せられても金であり、蘭は、垣根にあると、貴人の側にあるとによって芳香を異にせず。他を侮るものも滅び、己を侮る者も亡ぶ。自尊、尊他の二尊は遂に一尊にすぎず。かるが故に、

「真実の自尊、尊他を生み、尊他は必ず自尊を成就す」

大法のみ

「大法のみ自他の生存に重き価値を与えたもう」

世尊は真実教を説いて、衆生を救いたまい、衆生は、真実の教を聞信して如来に救われる。救われるとは、名号の真実功徳を回向せられることである。

「煩悩具足の凡夫・火宅無常の世界は万の事みなもてそらごと・たはごと・真実あること無きに、ただ念仏のみぞまことにて在します」（島地一二三―一二三、西八五三、東六四〇）

まことに、無常そらごとの世に、そらごとの不満を、そらごとによって充たさんとし、そらごとが、そらごとを追うてそらごとにおわる。

「一切の群生海　無始より已来　乃至今日・今時に至るまで　穢悪汚染にして清浄の心無く　虚仮・諂偽にして真実の心無し　是を以て　如来、一切苦悩の衆生海を悲憫して不可思議兆載永劫に於て　菩薩の行を行じたまひし時　三業の所修　一念・一刹那も清浄ならざる無く、真心ならざる無し　如来、清浄の真心を以て　円融・無碍・不可思議・不可称・不可説の至徳を成就したまへり　如来の至心を以て　諸有の一切煩悩・悪業・邪智の群生海に回施したまへり」（『教行信証』信巻）（島地一二―六八、西二三一、東二二五）

そらごとの世に、如来久遠の真実を回施して、真実人生の白道となりたもうのである。虚仮の世に真実を回向して真実金剛の大信を成就したもう。念仏する時、そらごとたわごと真実あることなきを知れば知るだけ、久遠の真実が念仏となって人生の具体的内容となりたもうを知るのである。念仏する時、世間虚仮、唯仏是真、相対差別のそらごとの世界がそらごととわかると共に、絶対真実の一面もほのかにわかるのである。

如何に、人生の迷の闇は深くとも、生死煩悩はしげくとも、尊卑、善悪、賢愚等々の九品の差別は高くとも、そのそらごとたわごとのうちに、如来の大悲は常住真実なる功徳宝海を回向して、尊重すべき人生を成就したもうのである。

「本願一乗は、頓極頓速円融円満之教なれば、絶対不二之教、一実真如之道也」（『愚禿鈔』）　（島地一四―六、西五〇七、東四二八）

絶対不二の教によってのみ、自他尊重の道の成就することを知るべきである。

世尊は一切を拝みたまい、最後の一人をすら捨てたまわず、悪人を正機として、恵むに真実之利を以てしたもうのである。

「世尊は一切を拝みたもうが故に唯我独尊とのたもう」

五　正法に忠実なれ

一。広大なる正法、真実の教、絶対唯一の教法を、その正法自身が坐する高き尊き聖座にあらしめて、身を低く大地に合掌して、汝のあるべきところにあらしむる日に、まことに大事を大事たらしめたのである。

一。正法に忠実なれ。
恭敬（くぎょう）といい、帰依といい、帰命という。すべて汝の正法に対する自由主義を捨てて、盲従にもあらず、反逆にもあらず、大法自爾（だいほうじに）の聖意を領解（りょうげ）して、大法自然（じねん）の威力のままに、必然に、如実に生きることに外ならず。

一。正法に忠実なれ。
もしこの一事にして忽（ゆるがせ）となり、事を自力妄想によって決すれば、必ず後に一小些事（さじ）、つまらぬことが大事となって身にせまるであろう。しかるに正法に忠実なれば、いわゆる大問題も、雪達磨(ゆきだるま)の春風にとけるがごとく、簡単な問題となるであろう。

一。正法に忠実なれ。

一大事とは汝が正法に不忠実なることであり、一大事とは汝が正法に忠実なることである。いかなる聖賢も、正法に忠実なることより外に生まれなかったし、いかなる大逆も、正法を正法と知らず、正法を正法とせざることより外には生まれず。

世に愚を愚と知らざる愚者より不幸なるものなく、宿縁なくして正法に値(あ)わざるより大不幸はなし。いとも悲しきは、正法に値いつつも耳に入らず、心に徹せざる人の相である。

一。正法に忠実なれ。

今日の生活がなぜ暗いか、ただ大法を聞かぬがためである。今日の生活が何故味気ないか、ただ大法が生きて下さらぬがためである。

こんな悲しい身の上が、こんな大事件に出会った自分が、御法を聞いたくらいで明るくなるものか。そう思う心が根本のまちがいである。すでに大法によっておこるどんな場合をも拝ませて頂いて言うことである。いかなる深刻な悩みも問題も大法の前には融ける。ただ大法に忠実であれ。

一。正法に忠実なれ。

暗い家庭、二十年も三十年も一緒に暮らして来た夫婦が未だに一つになれず、別々の世界にあって、終生かけてこの結婚を悔い、兄弟姉妹の仲が悪く、親に悪く、あわれ仇敵（かたき）の出会いの如き家庭。じめじめした生存の中で、誰も彼も、何とかならぬかならぬかとあせりつつ、おたがいに悪く言いあって生きる。

それでは千万年たっても解決がつくものではない。その中から一人、真に正法を聞く人よ出でよ。そして光をともせ。必ず浄土に通ずる家庭が生まれる。人を治めようとするかわりに、正法に治められ、沈黙して念仏の一道を歩む人のみ、正法の持つ大慈悲の力によって、家を埋むる氷を融かして、美しき華を咲かしむるに至るであろう。

一。正法に忠実なれ。

汝、順境の日に正法に忠実なれ。順境五欲のほしいままなる日に、正法に忠実なるを忍という。

汝、逆境の日に正法に忠実なれ。逆境悲愁の日に正法に忠実なるを忍という。

正法の綱格（こうかく）に一体に生きずして、何の忍ぞ、何の精進ぞ。

苦悩の中、正法に忠実なれ。必ず、苦悩こそ汝をして不退金剛の人たらしむる尊き資糧たりしことを、必ず、涙の中に感謝する日のあることを断言す。

汝をして無意味に人生を徒食せしめ、汝を後悔の淵にあらしむるものは「正法なき順境」と知れ。されど正法なき逆境は汝を無明愚痴の迷路に殺す。

死活の岐路は、ただ正法の有無にあり。故に、正法に忠実なれ。


一。正法に忠実なれ。

多くの御弟子にとりまかれたもう聖人も聖人なり、一人悲しくさびしき配流の日の聖人も聖人である。されど一人にしてついに一人ならば、流転の一人にして、その一人は無意味である。我らの世界というも、一人、真の一人ならず、一人一人、獲得真心(ぎゃくとくしんしん)の白道(びゃくどう)に生きて、そこに展開されたる我らの世界ならずば、我らの世界というも、ただ雑毒雑居(ぞうどくざっきょ)の世界に過ぎず。

真の一人の人、そは、ただ正法によってのみ生まる。

我が最大唯一なる慶びは、かくの如き正法に忠実なる一人を、如来によって賜うたことである。この鴻恩(こうおん)、千万歳(せんまんざい)、粉骨砕身して報謝するも、報ずる能わず。我がこの至幸至福、身のおきどころなきを観ずる朝なる哉。

一。正法に忠実なれ。

汝の言、何故に人を動かさざるか。汝、正法によって動かぬが故である。ある日には正法に忠実なるが如く、ある日には正法をぬきにして立場にものを言わせて、人を威圧し屈服せしめんとす。仏道というも名利のみ。

名利心、凝視すべく、名利心によって妄動するなかれ。真の名利、汝より去る。人は高く売らんとする人を高く買わず。弊衣弊屋にあるとも、正法に忠実なる人は必ず世の人の仰ぐところとなる。

このこと一事体解せられずば、百年仏法を聞くとも、学ばざるに斉し。

一。正法に忠実なれ。

法には必ず、体あり、相あり、用あり。用とは法よりおこる利益のことである。一句の法に利益あり、一言の法に利益あり。まして正法をや。故に経には、為得大利、為失大利とあり、本典には恵以真実之利とあり。

この人にしてこの法に忠実なれば、一足先に大利益あって待ちつつあるに、貪欲に縛られて正法にしたがって歩まず。幸福去り、不幸来るに知らず。智者、人を見て危ぶむはこれがためである。貪欲、まず幸福をつかまんとして、得られざるに至って愚痴をならべる。

法に利益あるを知って、利益を先として、法を功利的に使わんとするを自力という。このこと法界の道理許さず。ただ正法に忠実なれ。この功利心を智慧光によって捨てしめられるところ、大道現前して、利益を得ずとも、生きねばならぬ世界、明らかとなり、利益の方より「ちょっと待ちませ」と追いかけ来るに至るであろう。利益なく、思うようにならぬ時、聞法精進を止むる哀れなる人に呈す、ただ永遠に正法に忠実なれと。

一。正法に忠実なれ。

正法に忠実なるものは広大難思の慶心を獲ん。広大難思の慶心とは、願力回向の大信心に外ならず。正法を聞くこと即ち如来本願を信ずること、この聞信一如の境を第十八願の世界という。

仏教に随順し、仏願に随順するところ、恒沙の諸仏、この人を護念証誠したもう。これを仏語に随順すと名づく。これを大千世界感動すという。迷妄の巷、いかに浮身をやつして泡沫の如き人の称賛を博せんとするも、汝の胸中、不滅永遠の聖火燃えずば、何ぞ天神地祇、恒沙諸仏の感動すべき。一人感動するものなくば万人感動せず。

己を知らざる万人の悪罵は忍ぶべし、己を知れる一人の人の尊敬は大地よりも重し。一仏一聖賢の感動は三千大千世界よりも広大である。このことなくして汝に真の歓喜は許されず。

正法に忠実なる人のみ、三仏三随順の世界にあって、真実のよろこびを体解するであろう。

一切人よ、まず正法に忠実なれ。

六　尊敬

私は近頃、尊敬ということについて考えさせられている。そして色々と深い内省に導かれることである。尊敬の二字が如何に高価なものであるかということが思い知られることである。人と人との関係も、恐らくは、この二文字の有無によって、その死活が決せられることであろう。一家に於ても、父母を尊敬することの出来る子は幸である。子を尊敬することの出来る親は幸福である。夫を尊敬することの出来る妻、妻を尊敬することの出来る夫、それは皆、幸福である。正しく生き合った人間の生活は皆、尊敬によって結ばれている。尊敬こそ、人間の正しい生活である。我らが、人を尊敬することが出来た時、如何に安らかな満ちた心になり得るか。その顔を見ただけで、その言葉を聞いただけで、暗い心さえ明るくなる。

尊敬ということは、身分の低いものが、高いものに対してだけあることのように思うのは間違いである。身分は低くても、貧しくても、あばら屋に住んでいようとも、身には襤褸（つづれ）をまとうていようとも、尊敬すべき人は、尊敬せられる。誰にも尊敬せられない人があるとするならば、人の中の一番不幸な人であり、罪業のみ深くして、しかも真の教えを聞くことの出来なかった人であろう。

尊敬されるか否かは、徳の有無、真実の有無、道の有無によることである。

徳といい、道といい、真実というも、つまりは同一なるものの異名である。徳とは得である。道を得たことである。真実とは、この徳の体をいうのである。

然ればかかる徳は、如何にして得るのであるか。それは、唯、教えによるのである。如何に教えを受ける態度が真剣であるようでも、教えそのものが真実でないならば、真実の道を得ることは出来ないし、教えそのものは真実であっても、受ける態度が忠実でないならば、道を得ることは出来ないことである。故に、「正法に忠実なれ」というのである。

親鸞聖人が、真実なる教えに遇（あ）われたことを何よりもお喜びなさったみ心も知らるることである。幾十年つれそうたる妻が、世にも嫌（にく）むべき女であったものが、一朝にして拝むに足る婦となった如き奇蹟は唯、真実教の園に於てのみ生まれることである。真に尊敬せられる人は、尊敬する人である。尊敬が高価なものであることを知るが故に、人に尊敬を強いるならば、人はその刹那からその人を尊敬しなくなるであろう。権力によって、人に服従を強いたり、尊敬すべきことを求めたりしたならば、形の上では如何に美しく敬うように見せかけ、服従したように装うていても、心の中には、侮蔑と反抗心とを持っている。こうした人は、子供の心一つをさえ真に動かすことは出来ないであろう。

尊敬は自らすべく、人に求むべきことではない。

人は皆、私を尊敬したく思っているのである。それを尊敬させないのは私である。私の何がそうさせるのであろう。それが、何時(いつ)もいつも聞くところの「我」である。我がものをいうが故に、人に対して悪い思いをさせ、尊敬することの出来ない苦痛を与えるのである。

天親論主(てんじんろんじゅ)は、我の相を、我心貪着(とんじゃく)自身、無安衆生心、供養恭敬自身心の三相として説かれた。我は自身に貪着する。我が身を惜しみ、我が欲に貪着する。それがひいて一切衆生に不安を与える。他を供養し、恭敬(くぎょう)するかわりに、自身に供養することばかり考え、自身を尊敬せしむべきことのみを求める。これ一切の徳を失える無功徳の凡夫の真相である。

念仏の子は、必ず、如来回向の徳の重きによって頭を大地につける。そしてその智慧の光によって、我心の真相を内に照破せられて頭を大地につける。真実の生活はそこから生まれる。真実の道はそこから開ける。

「不退のくらいすみやかに　えんとおもはんひとはみな

恭敬の心に執持(しゅうじ)して　弥陀の名号称すべし」　（島地一一―二三、西五七九、東四九〇）

恭敬とは、尊敬のことである。恭とは、自分の頭を下げることであり、敬とは、相手の徳を高く上げることである。もしこれが本仏にむかって全我を以てなされた時に、一心帰命といわれるのである。帰命は重く、恭敬は軽い。しかし、帰命重きが故に、帰命に根ざす恭敬であるならば、恭敬もまた重い。この和讃に、帰命にかえるに恭敬を以てせられたのは、帰命の身相を示されたのである。

念仏の行者は、それが真実であるならば、必ず人の仰ぐところとなる。自ら大功徳の前に頭を下げて無我の世界に住するが故である。尊敬することを知って、尊敬を求めることを知らない人、私は、そうした生きた菩薩の相を人間の荒野に拝ませて頂くことが出来た。そうした人を憶念する度に、自ら本願の尊さ、念仏の尊さをしみじみと頂くことである。尊敬、尊敬、尊敬、暗(やみ)深き人生ではあるが、人生もまた明るくなって来る。今日一日生きさせて頂くことは有難いことである。

七　超日月光

私が生きていることは、真実なるものに遠い相においてであるか、あるいは真実なるものに近く相応する相においてなされてあるか。そうしたことを少しも考えないで生きていられること、それはまことに恐ろしく悲しいことである。

それは私が今どこにいるかということを考えないで歩いているようなものだからである。

私の生きている位置？　おかしい表現ではあるが、ほんとうに生きることについて考えるものは、私の生きている位置ということについて考えざるを得ない。大洋を走っている船は、必ず、その船の航路を誤まらぬ為に、羅針盤によって方向を正すことと、東経何度、北緯何度と、その船の位置を定めることとが絶対必要である。それと同じように、私が生きてゆくのにも、私の生きる方向がなくてはならないし、生きている私の位置を知らなければならない。

人間の生きる世界は、それはその人によって広狭浅深、千差万別である。それは、その人毎によってその生きる視野が異なるが故であろう。一国の運命と自己の運命とを一つにする人もいるであろうし、向こう三軒両隣だけの上げ下げで生きている人もあるだろう。そして同時に自らの生きる世界の位置をその中にあって測って決定しようとしているのではあるまいか。そしてその各々の世界に処してゆく心根をたいがい「信念」という言葉で言い表しているようである。上は一国の大臣が、国事を処理する場合から、下は一村一部落に対する場合まで、生きる自己を決定して「不動の信念」を云々しているようである。

しかして多くの場合、その信念も、一時的のものであって、やがて信念そのものもおし流されてしまうことが多いのも知らずに。そして又、その信念が、多くは我の立場を固定化しようとする、我慢であることも知らずに。今や、日本の知識階級にはそのような信念なき一人の人も見当たらないようになった。歎かわしいことだと誰かが言った。

私が現に生きていることとは、真実なるものに遠い相においてであるか。真実なるものに近く相応してであるか。

じっと深く考え、敬虔に額ずいて、真実なるものの真の声を聞こうともせず、無限に内に歩もうともせず、己の真相を知ろうともせず、道の中に己を投じようともせず、貪欲中心の自由主義的立場を保持しつつ、不動の信念を語る。聞くもの見るもの真に感動するものなく、輝かず、響かず、ただいたづらな不快なる雑音を増すこととなるのは何故であろうか。

梅にして梅を語り、牡丹にして牡丹を語る。人の言にして、その人に相応せば言もまた華たるべし。人は必ず、その言の如何によらず、必ず己を白状して隠すことなきものである。であるが故に、先づ汝の胸中に何ものありや、汝の内心に何ものありや、汝を知ることによって汝の住するところを知るべきである。軽々しく信念を語り、軽々しく信念を棄て、軽々しく信念の変更をし、信念と誤認して己が無理を通すが如きは、汝そのものを二束三文に安価ならしめ、何ものの信念なきを示すものである。

ここにおいて、信念をして不動たらしめんとすれば、信念の対象を流転の中に求めてはならない。信念の対象にして流転の中にあらんか、信念もまた流転するであろう。信念流転すれば、人格もまた流転すべきが故である。

超日月光、流転の千縁万縁を超絶したる超日月の光明に信の根拠を見出して、

「光明月日に勝過して　超日月光となづけたり
　釈迦嘆じてなほつきず　無等等を帰命せよ」（島地一一一一五、西五五九、東四八〇）

と讃嘆せられたのは親鸞聖人であった。日月より手前、即ち生死界内にのみ生きんとするものは凡夫であり、生死界を恐れて出でんとするものは二乗である。生死界外の超日月光に摂取せられて、生死の中にいつつも、実在界の光明を生死煩悩中に具顕するものは大乗の菩薩である。

この大菩薩の道のみ不退転である。超日月光において生きるが故である。不退転とは、信念の固定に非ず、信念の流転に非ず、信念の動揺に非ず、転向に非ず。我執の横車に非ず、淳一相続して、生々不退、一念の真実、千縁万縁を貫いて常恒なる、柔軟にして金剛なる大信心である。この信、生死流転煩悩の中に開きつつ、しかも超日月光の彼岸の光そのままの清浄真実である。永劫に狂うことなきこの超日月光の光体こそ、汝の進路と位置とを照らし出す唯一の光であり、汝を真に生かす慈光そのものである。而して、その法身の本願力こそ、汝を渡す真の力である。

　超日月光の光力のみ、汝をして真に生死を超え、苦楽を超え、一切を超えて、不滅の道に生きぬかしめるであろう。その時に於てのみ、汝は如何なる処、如何なる位置にあってもいい世界に住するであろう。

第三章　回向のみ名

宿業を背負って、合掌し念仏することが、
私に許された、たった一つの生活であった。
たった一つの道であった。

一　称名念仏について――同胞行者　世の雑音に迷うこと勿れ――

和讃のこころ

「弥陀の名号となへつつ
　信心まことにうるひとは
　憶念の心つねにして
　仏恩報ずるおもひあり」
「誓願不思議をうたがひて
　御名を称する往生は
　宮殿のうちに五百歳
　むなしくすぐとぞときたまふ」　（島地一一―一二、西五五五、東四七八）

これは聖人の御製作にかかる三帖和讃三百幾十首の和讃に於ける、いわゆる序讃でありまして、特に巻頭に掲げられたものであります。

聖人が和讃を遊ばすみ心は、仏徳を讃嘆して、仏恩を報謝し給わんが為でありますが、同時に他力真宗の何であるかを示して、大悲伝普化の為、特に容易い和語によって愚かな者を導いて、仏の本願念仏を領解して、正しい信心に住せしめんが為であります。

この巻頭の二首の御和讃は、一は正しい浄土真宗の念仏の世界を示され、一つは権仮の世界にとどまって疑惑のままで念仏しているのを戒められたのであります。

蓮如上人が「御一流には、他力信心をよくしれとおぼしめして、聖人和讃にその意をあそばされたり」（『蓮如上人御一代記聞書』）と仰せられたが如く、信心成就すべく、疑惑誡むべきをお諭し下さったのであります。

弥陀の名号となえつつ

「弥陀の名号となへつつ　信心まことにうるひとは、憶念の心つねにして　仏恩報ずるおもひあり」

弥陀の名号となへつつ……「つつ」と言うのは、「称えて」又は「称えながら」ということであります。何故にまず「弥陀の名号となえながら……」と最初に出されたのでありましょう。

憶うに元祖法然上人は、すでに浄土真宗を開き、自らも念仏往生を期し、人にも念仏往生の大義をすすめ、弘通せられました。これ聖道門の諸行に対するに、浄土門の念仏の大行を示されたのでありまして、行を表にお説きになったことも亦当然でありました。

然るに、同一の教えを受けて念仏する人々の多くは、「称えながらも」称える名号の謂れを知らず、自力疑惑の心を以て念仏しているものが多かったのであります。その自力疑惑のこころは、時には、念仏も何も捨ててしまうのでありましょうが、往生を願う心あるものは、称名の功を募り、称えた力によって往生しようと計らうに至ったのであります。それは誠に上人の教旨に徹底しないものでありました。又、中には、念仏が唯一絶対の大行たることを知らぬが為に、何時しか、上人が廃捨された諸善万行を許し、それを列べて念仏することを許した人もありました。

かかる人は、全て上人の教旨に徹底しない人であります。ここにおいて我が聖人は、浄土真宗の真意を光闡し、教えの真髄を伝え、以て念仏往生の真実義を開顕せられたのであります。

両聖の伝承と誤解

「弥陀の名号となへつつ」

聖人は決して法然上人の念仏往生をいけないと捨てられたのではない。法然上人の念仏往生の教えをそのままに領解して、信心成就し、御自身も亦、念仏往生の願を全うじられたのであります。真実の念仏往生を成就せられたのであります。

師の教えを訂正されたのではない。師の教えを真に受けられたのである。師の教えで足りなかったのではない。師の教えによって満たされ、師の教え通りに、念仏申されたのであります。そこに、信心が光っておった。

「弥陀の名号となへつつ、信心まことにうるひとは……」

称えつつも疑いをさしはさみ、称えつつも信心なくして、唯（ただ）師の御房の口真似をする。それでは真の念仏ではない。真に念仏するとは、念仏がそのまま信心を成就していることでありました。

然るに、浄土真宗は、何時しかに、悲しむべき誤解を聖人の教えの上になげかけました。それは信心正因の教旨は、法然上人の教旨を訂正されたものだと考えたり、或いは、法然上人は、念仏によって浄土宗を開き、我が聖人は、信心によって浄土真宗を開かれたので、両聖の教えは全く異なったものであり、その間には超えることの出来ぬ溝でもあるかの如く思うに至ったことであります。何たる甚だしき誤解であろう。聖人は、和讃の源空章において、

「智慧光のちからより
　本師源空あらはれて
浄土真宗をひらきつつ
選択本願（せんじゃくほんがん）のべたまふ」

（島地一一―三一、西五九五、東四九八）

「善導・源信すすむとも
　　本師源空ひろめずば
　片州濁世のともがらは
　　いかでか真宗をさとらまし」（島地一一―三一、西五九六、東四九八）

と讃嘆されました。聖人にあっては、全く浄土真宗を日本国土に開顕せられた方は、師法然上人であった。

然るに、ある地の僧侶は、「法然上人迄は聖道門を教えられたのであり、親鸞聖人がはじめて他力信心を開かれたのである。念仏申せというが如きは、法然上人の教えであって、聖道門の自力であるぞ。そのようなことに迷うてはならぬ」と同行に向かっておどしつけました。何というひどいでたらめであろう。

「弥陀の名号となへつつ　信心まことにうるひとは、
　憶念の心つねにして　仏恩報ずるおもひあり」

まことに本願を領解して信心獲得の人は、憶念の心相続して、仏恩報謝のおもいあり、信心相続するにつれて、称名念仏の相続となるのであります。これしかしながら、凡夫自力の声が尊いのではなく、「弥陀の名号となえつつ」弥陀の名号が尊いのであり、それ故に、信心まことに獲るのであります。称名が念仏であり、念仏が信心の智慧であるのは、弥陀本願成就の名号なるが故であります。

『観無量寿経』の最後、流通分においては、

「もし念仏する者は当に知るべし、此の人は是れ人中の分陀利華なり　観世音菩薩・大勢至菩薩、その勝友と為りたもう　当に道場に座し諸仏の家に生ずべし。仏阿難に告げたまはく『汝よく是の語を持て、是の語を持てとは即ち是れ無量寿仏の名を持てとなり』」

（島地二―三〇、西一一七、東一二二）

とあります。

念仏行こそは一切の諸善万行を超えたる唯一絶対の大行たることを領解せしむることこそ、『観経』の持つ使命であります。而して念仏行が唯一絶対の正定業となるのは、特に如来の本願によるのであります。本願を領解することによって信心を獲得します。信心こそは、念仏行を念仏行たらしめるものであります。

『大無量寿経』が尊いのは、如来の本願を広説せられたからであります。

蓮師の教化

蓮如上人の御教化は至りとどいたものであります。『御文章』（三ノ四）には、

「しかれば、世の中に人のあまねく心得おきたるとほりは、ただ声に出して南無阿弥陀仏

とばかり称ふれば極楽に往生すべきやうに思ひはんべり、それは大きに覚束なきことなり　されば『南無阿弥陀仏と申す六字の体は如何なる意ぞ』といふに『阿弥陀如来を一向にたのめば仏その衆生をよく知しめして救ひたまへる御すがたをこの南無阿弥陀仏の六字に現したまふなり』と思ふべきなり　しかれば『この阿弥陀如来をば如何して信じまいらせて後生の一大事をば助かるべきぞ』なれば　何の煩もなくもろもろの雑行・雑善をなげ棄てて一心一向に弥陀如来をたのみまいらせて二心なく信じたてまつれば、そのたのむ衆生を光明を放ちてその光の中に摂め入れ置きたまふなり　これを即ち弥陀如来の摂取の光益にあづかるとは申すなり、または不捨の誓約ともこれを名くるなり　かくの如く阿弥陀如来の光明の中に摂め置かれまいらせての上には……かやうの雨山の御恩をば如何して報じたてまつるべきぞや　ただ南無阿弥陀仏南無阿弥陀仏と声に称へてその恩徳を深く報尽申すばかりなりと心得べきものなり、あなかしこあなかしこ」

（島地二九―三三、西一一四〇、東八〇〇）

声に出して南無阿弥陀仏とばかり称えてもそれでは覚束ないと言った蓮師は、やがて「ただ南無阿弥陀仏南無阿弥陀仏と声に称へてその恩徳を深く報尽申すばかりなりと心得べきものなり」と仰せられました。これ正しく、自力の称名から、他力の称名念仏への方向を示されたものであります。而してこの「称えても駄目」の世界と、「称えてその恩徳を深く報尽申す」世界との間にさしはさまれた御文こそ、本願の領解を説かれたものであります。信心を顕されたのであります。

誠に蓮師の御教化こそは「形を見れば法然、詞を聞けば弥陀の直説」であります。御一代の間、「いよいよ弥陀如来の御恩徳の深遠なる事を信知して行・住・座・臥に称名念仏すべし」(『御文章』三ノ八)(島地二九—三八、西一一四九、東八〇六)、

「その仏恩報謝のためには寝ても起きてもただ南無阿弥陀仏とばかり称ふべきなり」(三ノ十)(島地二九—四一、西一一五五、東八〇九)

「これ即ち第十八の念仏往生の誓願の意なり　此の如く決定しての上には寝ても覚めても命のあらんかぎりは称名念仏すべきものなり」(五ノ一)

(島地二九—六〇、西一一八九、東八三三)

八十通の御文の殆ど全巻にこうした聖語がくり返されてあります。

聖人の御教化とその日常

聖人はすでに信巻において、

「故に真実の一心是を『金剛の真心』と名づく　金剛の真心是を『真実の信心』と名づく

真実の信心は必ず名号を具す　名号は必ずしも願力の信心を具せざるなり」

（島地一二一―七八、西二四五、東一二三五）

と断定せられました。又この意を、『末燈鈔』には、

「しかるに世間の怱々に紛れて一時もしは二時・三時怠るといへども、昼夜に忘れず御あはれみを喜ぶ業力ばかりにて行住坐臥に時処の不浄をもきらはず、一向に金剛の信心ばかりにて、仏恩のふかさ・師主の恩徳のうれしさ、報謝のためにただ御名を称ふるばかりにて日の所作とす」

（島地二一―一二、西七六二、東五八四）

慶信御房の御日常、御念仏三昧の御生活も伺われます。日常、仏恩の高大を憶うて念仏三昧の生活をお続け遊ばしたのであります。

聖人が有阿弥陀仏におつかわしになった御返事には、

「尋ね仰せられ候念仏の不審の事　念仏往生と信ずる人は辺地の往生とて嫌はれ候ふらんことおほかた心得難く候　その故は弥陀の本願と申すは『名号を称へんものをば極楽へ迎へん』と誓はせ給ひたるを深く信じて称ふるがめでたきことにて候ふなり　信心ありとも名号を称へざらんは詮なく候、又一向名号を称ふとも信心あさくば往生しがたく候　されば念仏往生と深く信じてしかも名号を称へんずるは疑無き報土の往生にてあるべく候ふなり　詮ずるところ、名号を称ふというとも他力本願を信ぜざらんは辺地に生るべし　本願他力を深く信ぜんともがらは何事にかは辺地の往生にて候ふべき　このやうをよくよく御

心得候ふて御念仏候ふべし　この身は今は歳きはまりて候へば定めてさきだちて往生し候はんずれば、浄土にて必ず必ず待ちまいらせ候ふべし、あなかしこあなかしこ　七月十三日　親鸞　有阿弥陀仏、御返事」（島地二一―一〇、西七八五、東六〇六）

私どもに下された御教として深く頂戴すべきであります。

「弥陀の本願と申すは『名号を称へん者をば極楽へ迎へん』と誓はせ給ひたるを深く信じて称ふるがめでたきことにて候なり。

信心ありとも名号を称へざらんは詮なく候、

又一向名号を称ふとも信心あさくば往生しがたく候」

念仏を辺地の業と危ぶむ者への極めて明白な御教旨であります。謹んで信心決定（けつじょう）して念仏申すべきであります。

念仏申すこと

「草の庵に寝ても覚めても申すこと　南無阿弥陀仏　南無阿弥陀仏」

五合庵（ごごうあん）の良寛さまのお歌でありましたか、如来の慈光のみなぎった尊い風情がしのばれます。

由来（ゆらい）、浄土真宗は、「寝ても覚めても念仏申す」「行住坐臥に時処の不浄をきらはず」金剛の信心に住してお念仏するところに、凡夫(ぼんぶ)の救われて歩む尊さがあったのであります。然るに、三業惑乱(さんごうわくらん)があってからこのかた、自力の念仏をおそれるのあまり、お念仏申すことまでがいけないように考えはじめて来たのであります。あつものに懲(こ)りて膾(なます)をふくに至ったのであります。ある師は、浄土真宗の廃退の因はここにあると言われました。

世には、寺院の住職でありつつ「近頃このあたりには、念仏申せと言うて来るものがある。御当流は信心一つじゃぞ。念仏申せ等と言うは全く異安心というものじゃ。迷わんようにせよ」と高座から同行にやりつける人がたくさんあると聞きます。何という情けないことでありましょう。聞いている同行の頭にも、すぐ「末代無智の御文章」くらいは出て来ます。

「これ即ち第十八の念仏往生の誓願の意なり　此の如く決定しての上には寝ても覚めても命のあらんかぎりは称名念仏すべきものなり」（島地二九―六〇、西一一八九、東八三三）

と頂いている者には、お寺こそ無茶を言っているのだと、寄りつかなくなります。寺には「称名正因」の異解者(いげしゃ)だと独り合点してたたくのでありましょう。しかし△△老師は言われました。「私どもでも、称名正因の異解者のように言われますが、今頃、法を説く者に、ほんとうに称名正因を正しいと考えている人などはいないでしょう」

私も亦(また)そう思います。称えた数に力を入れ、数を多く申したがいいなどと、そんなことを思っている者、称えなければいけないと、そんなに思っている人はいないでしょう。まことに行者、迷うことなく、聖人や蓮如上人のみ教え通り、信心決定して念仏申すべきであります。口にばかり称名したとて駄目だと言いつつ、「このありがたさの弥陀の御恩をば如何(いかが)して報じたてまつるべきぞなれば、ただ寝ても起きても南無阿弥陀仏と称えてかの阿弥陀如来の仏恩をば報ずべきなり」（島地二九―七一、西一二〇八、東八四五）と仰せられたみ教えを真に頂いて念仏すべきであります。

念仏の因縁

さびしい山坂をこす時、お念仏の声のする人と会えば、心丈夫(こころじょうぶ)を感じます。汽車に乗って向かい側の人が信心の行者とわかれば安心して眠れます。念仏の声のあるところ、盗賊でなくて、生きたみ仏が在しますが故であります。

「仏法は一人居て悦(よろこ)ぶ法なり」とは蓮師の御意でありました。一人居て悦ぶに至って、初めて我がものになったのであります。山に川に、一人働いている間にも、お念仏申される時、名体不二の名号なるが故に、如来摂取の大悲を憶念せずにはいられないのであります。

だがたとえ、世間からは時に称名正因の如く誤解されようと、それは大したことではありません。それよりも、もっともっと問題は、「これ即ち第十八の念仏往生の誓願の意なり。此の如く決定しての上には寝ても覚めても命のあらんかぎりは称名念仏すべきものなり」とのみ教えの如くなり得ないで、又しても又しても懈怠であることであります。懈怠、悲しむべく、懺悔すべきであって、疑い危ぶむべきではありません。一念一刹那といえども、弥陀の願行の遍満したまわぬことなきことを憶い、出づる息、入る息も仏の離れたもう時分なきことを念じて、いよいよ念仏申すべきであります。

古来の聖者たちといえども、正道を歩まるれば、必ず物凄い嵐がつきものでありました。でありますから、『歎異抄』にも、

「故聖人の仰には『この法をば信ずる衆生もあり、謗る衆生もあるべし』と仏説きおかせたまひたることなれば、我はすでに信じたてまつる、又ひとありて謗るにて『仏説まことなりけり』と知られ候　しかれば『往生はいよいよ一定』とおもひたまふべきなり　あやまて謗る人の候はざらんにこそ『いかに信ずる人はあれども謗る人のなきやらん』ともおぼえ候ひぬべけれ　かく申せばとて『必ずひとに謗られん』とにはあらず、仏の豫て信謗ともにあるべき旨を知ろしめして『人の疑いをあらせじ』と説きおかせたまふことを申すなり」

（島地二三―六、西八四一、東六三二）

非人格や、不徳の為に非難されたり、謗られたのさえ、この歎異抄の御文を出して弁解するが如きは、許すべからざる邪道であります。沈黙して受け取るべきであります。しかしみ教え

通りの念仏行者なりとても、必ず謗られます。でありますから本師聖人は、御本典の終わりに臨んで、

「信順を因と為し　疑謗を縁となし　信楽を願力に彰し　妙果を安養に顕さん矣」

（島地一二―二二五、西四七三、東四〇〇）

と仰せられました。誠にくり返し繰り返し頂戴すべきであります。真に燃ゆる信の火は、疑いや謗りが縁となっていよいよ燃え上がります。本願力そのままの信楽をこれによって彰し、やがて安養浄土に大涅槃の証果を成就させて頂くことであります。

世間の雑音に耳をかすことなく、念仏無碍の一道を行歩すべきであります。

二　回向のみ名

花

昨夜、見る間に開いたサボテンの花が、今朝はもう、醜く凋んでいます。短い花の命です。

たった十五歳になった清子ちゃんは、肺を患って、重い枕の床についています。死を観念し

て、私のゆくのを喜んで待っています。

おとなしい清子ちゃんは、可愛そうに、病気が悪いので、可愛い弟妹たちからも遠ざけられて、午後になると襲うて来る高熱にすっかりやられています。しかし、み仏の話になると、眼を大きくして時々うるませつつ、熱心に聞いています。素直に、手を合わせて念仏しつつ。どうしても散ってゆく蕾（つぼみ）の花。

死の前に

「どうして私は、弱いお母ちゃんから生まれたのでしょう」

七つの時、同じ病で亡くなった先のお母ちゃんのことです。宿業感は、この小さい魂も知らねばならぬ。死の幕（とばり）の前に。

死の前に……老いも、若きも、善人も、悪人も、総理大臣も、女学生も、唯、厳粛な戦慄（せんりつ）のみが残ります。

善でも越せず、悪でも越せず、学問でも越せず、貧富でも越せず、その他何でも越せない死の幕。

その時、たった一つものを言うて下さるものは、如来招喚のみ声のみであります。

彼岸

生—死。生まれて死ぬる間には、色々とこみ入った事が、私どもの周囲におこります。死を考えない限り、それぞれ価値のあることであり、意味のあることであります。しかし死によって反省された生に何があるでしょう。皆すぎ去ってゆく、うたかたの夢であり、虚仮(そらごと)であります。

善導大師は、『往生礼讃偈(おうじょうらいさんげ)』の中に説かれました。

諸衆等聴説㆓日没無常偈㆒
人間怱々営㆓衆務㆒
不㆑覚㆓年命日夜去㆒
如㆓燈風中滅難㆒㆑期
忙忙六道無㆓定趣㆒
未㆑得㆔解脱出㆓苦海㆒
云何安然不㆓驚懼㆒
各聞強健有力時

諸(もろもろ)の衆等(しゅとう)聴(き)きたまへ、日没(にちもつ)の無常偈(むじょうげ)を説(と)かん。
人間怱々(そうそう)として衆務(しゅうむ)を営み
年命(ねんみょう)の日夜に去ることを覚(さと)らず
燈(ともしび)の風中(ふうちゅう)に滅せんこと期(ご)し難きが如し
忙々(もうもう)たる六道定趣(じょうしゅ)なし
未だ解脱して苦海を出づることを得ず
云何(いかん)ぞ安然(あんねん)として驚懼(きょうく)せざる
各(おのおの)聞け強健(ごうごん)有力(うりき)の時

自策自励求㆓常住㆒　　自策自励して常住を求めよ。

亡ぶより外何ものをも持ち合わせていない自分を凝視める時、人は初めて彼岸のものに眼をそそぎます。

常住なる彼岸からの門は、永久に、何時も開かれてあっても、人は心の扉を閉じ、六道に執着して、求めようとも、還ろうともしませぬ。しかしそのままでは、ついに真の安住はあり得ませぬ。

人は、此岸の真相にさめる時、彼岸に向かって眼を開く。

如来の名

如来の名……生、老、病、死より外、何ものも持ち合わせのない我等に、永遠に滅ばない唯一つの生命が回向せられる。それが如来の名号でありました。

不可思議な因縁が、人を聞法の世界につれ出します。み法は必ず人を内面へ内面へとつれてゆきます。如来の大慈悲が人の心を、おさまし下さって、そのほんとうの相を知らされて来ます。

「私はあまりにふざけておった。何と言う私の不真面目な、懈怠な生活であったであろう」

誰の心にも失っても失っても、失いきれない、衷心の声があります。堕落しても堕落しても、堕落しきれない魂の声であります。

そしてこの魂の声が、教えと共に罪悪煩悩の塵芥の底から、上に現われて来はじめると、苦しみ悶(もだ)えて来はじめますが、やがてどうしようもない宿業にさめきる時、静かに合掌礼拝して、彼岸の光に合掌します。

その時、如来の全てである名号は、信心となり、念仏となってこの人の上に回向せられてあります。大悲が骨髄に徹(とお)りたもうことであります。

懺悔

善導大師は、厳粛な往生人(おうじょうにん)でありました。静かに、一日昼夜六時に聖勤(しょうごん)された『往生礼讃(おうじょうらいさん)』を頂きます時、襟を正さないではいられぬものがあります。大師は具(つぶ)さに、安養浄土に至心に往生せんことを求め、仏の前に、菩薩大士の前に、繰り返し繰り返し懺悔(さんげ)し、感謝し、讃嘆しておられます。そして、「願くば諸の衆生と共に安楽国に往生せん」と願っておられます。

「至心に懺悔す。無始の身を受けしより来、恒に十悪をもって衆生に加ふ。

父母(ぶも)に孝せず三宝を謗(ぼう)し、五逆(ごぎゃく)不善業(ふぜんごう)を造作す。

是の衆罪の因縁を以ての故に、妄想顛倒(もうそうてんどう)して纏縛(てんばく)を生ず。

応に無量の生死の苦を受くべし、頂礼し懺悔す。願くば滅除せしめたまへ。懺悔し已りて、至心に阿弥陀仏に帰命したてまつる」と。

何という沈痛な懺悔であろう。

死の扉の前には、全てがただ滅ぶべきものであるばかりでなく、そこには、無量の生死の苦と共に、深い罪悪業障のもつれがあるばかりであります。

聖人の「煩悩具足の凡夫・火宅無常の世界は万の事みなもてそらごと・たはごと・真実あること無きに、ただ念仏のみぞまことにて在します」（島地二三―一三、西八五三、東六四〇）との告白も、肯かれることであります。

罪悪より外ない我等に、滅ばない功徳宝海を回向して下さるのが、念仏であります。

濁悪世に

尊いみ法を聞きつつも、人の世の濁悪にあおられ、大苦に見舞われる時「宗教など求めていられるか」と根底から、聞法の心を覆すような悪魔が心内におしよせて来ます。その時、静かに苦の源を考え、死を思い、釈迦、親鸞を憶い、衷心の魂の声を呼びさまして、この声こそ、恐るべき悪魔の誘惑であることを知って、念仏の心に帰るべきであります。善導大師は、

「濁世の難に還り入れば、浄土の願彌深し」

と言っておられます。人生の苦難に会えば会うだけ、濁悪に入れば入るだけ、念仏の心いよいよ深く冴え渡るに至るまで、至心に求道精進して、念仏三昧になりきらせて頂かなくてはなりません。

「業深きは往き易きことを成じ、因浅きは実に聞き難し。
必ず望むらくは疑惑を除きて、超然として独り群らざれ」

御親切な誡めであります。

幸の不幸

もし、人、この世の幸福に恵まれたが故に、それに囚われて道を求めることなく、五欲煩悩だけで跳って、この世を徒食することは、悲しいことであります。かかる人も、もし一度人間苦に当面するなれば、何ものもない自分を曝露するでありましょう。今恵まれて幸福に笑っていたとて、それは真実のものではあり得ません。

人生の意味は、五欲よりも深いところになくてはなりません。回向のみ名の深さを憶う時、念仏の子は深い喜びと、人の世の様を見てどうしようもない悲しみを持たないではいられません。

千万人中の幾人が、この深い念仏にふれて生きるのでありましょう。

安立

大聖世尊にも、菩提樹下における悪魔との戦いがありました。

内へ内へと如来のみ心に帰る時、心内外の悪魔煩悩は必死の妨害を加えるでありましょう。しかし決して退くことなく求道すべきであります。やがて如来の真実は、一切の疑惑を打ち砕いて、全ては懺悔の色に染められるでありましょう。

「心は、真慈を帯びて満ち、光は法界を含んで円なり。無縁（大慈悲）能く物（衆生）を摂す」（『往生礼讃』）

真実の大慈悲が衆生の心に満ちわたり、法界に遍きみ光が、摂取不捨して下さる時、一切の戦いがやみ果てて、恭敬礼拝の心には、真実の安らぎが恵まれて来るでありましょう。

回向のみ名のみ、常住にして金剛不壊なる永遠安立の道であります。

死の帳の前に立った時、身も心も亡んでゆくべきものに、たった一つ見出された尊い生命であります。全てから突き放された時、懐いていて下さるみ親があります。

それ故にまた人生は生きるに恵まれたところであります。亡ぶべきものと、亡ばざるものとの見分けのつく眼を与えられ、亡ばざるものに合掌帰命して生きる人は、人生及び我の本質に覚めて生きる人であります。人はあまりに苦しむべからざるを苦しんでいます。喜ぶべき真実に触れないが故に。

今朝、特に回向の名号の尊さを憶念いたします。

三　御恩

若い人は賢くなろうとばかり考える。無理のないことである。

御恩を知ると言うようなことは、古臭いことだと思う。しかしそれは大変な間違いである。

恩を知らぬ者は必ず狭い世界に生活し、恩を知る人は、豊（ゆた）らかな広い世界に呼吸する。

小賢（こざか）しくて恩を忘れる者は、悪事を働き、やがて身の破滅となる。

愚かであっても恩を知る者は、その歩みが忠実であって、必ず世間に尊重せられ、人に愛せらる。

恩に酬ゆるに、恨みを以てし、私情を以てするを反逆と言う。反逆者は反逆者を友とし、反逆の理由を恩人の欠点の上に求めて、己を省みず。その己を知らざることだけでも既に、自ら墓穴を掘るものである。

貪欲は、物の御恩を知らず。

欲に二つの型がある。いわゆる、吝嗇型の人と、無欲型の人である。爪に火を点すようなやり方をして、財産を積むことを楽しむ人と、金を湯水のように使う放蕩息子や、金持ちの坊ちゃん等である。後者はあたかも無欲に似たれども、金を享楽や名利と換えたのである。しかして恩を知らぬことは同一である。

恩を知らぬ者は、必ず貪る。

義務で動いても生きてはいない。権利で動いても生きてはいない。名利、貪欲の動きに、人を動かす力はない。人はただ底なきものに輝く人の言動にのみ感動する。

恩を知る者は、必ず輝く。

光明団に反対せんが為に、色々と策をめぐらす人がある。そしてそれを心配する人がある。しかし真に恐るべきものがあるとすれば、それはただ、真実なるものの動きである。二、三の人が集まる。その中に流れる空気が、怒りや、反逆心や、名利心等々であって、純粋無雑な、念仏の心でなく、報恩行でなく、感謝歓喜の営みでない限り、末通るものではない。安心して差支えがない。

ただ我等の一切の動きをして、念仏に立脚せしめよ。感恩に根ざさしめよ。一切の動きのそれでないことを誡めよ。恐れよ。

悪魔は、反逆忘恩の心にひそむ。
如来に救われるとは、如来の底なき大慈悲を領解することである。
大慈悲を領解するとは、無限の恩に覚めることである。

「如来大悲の恩徳は　身を粉にしても報ずべし
　師主知識の恩徳も　ほねをくだきても謝すべし」（島地一一─三六、西六一〇、東五〇五）

一句の法文に恩を知り、一行の聖語に恩を知り、無限の恩に覚むべし。しかしてこの和讃をしてその生活のすべてたらしめよ。

恩を説くことは易く、恩にさめ、恩に生きることは難しい。
恩を忘れて、仏教を弄ぶ者は、学んでついに仏法の底を知らず、かえって仏罰をこうむって、邪見我慢の種とならん。邪見我慢は、恒沙の諸仏菩薩を裏切り、その護念證誠を失い、不知不識の間に、悪魔悪知識に近寄り、流転の身となるであろう。

念仏申せ。肩に微塵の荷物もなくなるまで念仏申せ。
念仏申せ。富士の山より重い荷物の肩にあるまで念仏申せ。
恩に生きる者は輝き、恩を知らざる者は濁る。
恩を知る者は歓喜し感謝して光り、恩を知らざる者は、灰色に曇る。

恩を知る者は満たされる。満たされるが故に報謝す。たとえその両肩に重きを荷負いて、千里の遠きに足を運ぶも猶足れりとせず、しかも念々に満ち足りて、不足を知らぬところに恩を知る者の報謝の生活がある。

信心は、如来の真実によって満たされ、満たされたるが故に、溌剌として如来の御心に生きる知恩報徳の生活となる。

歓喜必ずしも信心ではないが、信心は必ず歓喜である。

恩を知る心は、その独り居に謹み、微笑し、輝き生きる。

恩を忘るる貪欲は、必ず人を欺き、その独り居に乱る。

恩を知る弟子は、その師をして安心せしめ、恩を知る子は、その親をして喜ばしむ。師を安ぜしむる弟子にして、師を超えて大成し、親をして喜ばしむる子にして、人生の公道を歩む。千里の遠きにあって、師を思い、親を忘れざる子に、堕落なし。

恩を知らざる者は、慚愧を知らず。慚愧を知らぬ者は、恩を知らず。無慚無愧と忘恩とは、表裏一体である。

無慚愧とは、面の皮千枚張りとなれる者のことである。面の皮千枚張りとは、何ものも心にひびかず、おどろかず、鈍感なること泥の如くなれる心である。

かるが故に、無慚無愧を畜生とよばれる。

己を見るに敏感なること明鏡に物を映すが如く、真実に通う心の聡（さと）きこと寒暖計の如し。

自己に徹することは、即ち一切衆生の運命に徹することであり、如来の真実に徹することは、その恩に徹することである。

愚禿（ぐとく）と名告（なの）りたもうは、己を知り、無明を知り、一切衆生を知りたもうが故であり、「慶哉（よろこばしきかな）」と嘆じたもうは、如来久遠の大悲に感じたもうこと敏（びん）なるがためである。

一切の虚偽無明に感ずること敏感にして、猶、悲観せず、厭世（えんせい）せず、歓喜の一道を歩みたもうは、如来久遠の真実に通じたもうが故である。

猫は甘え貪ることを知って恩を知らず。己を知らず、土足のまま家に上って、頭を下げず。真に己を知らず、恩を知らず。頭の下らぬ者を猫と言うべし。

土足のまま家に住み、寺に居ること幾十年、人生の真の相を知らず、歓びを知らず、悲しみを知らず、道なく、光なく、意味なく、価値なし。何ぞ如来を知らん。

我慢（がまん）強き者は、恩を観ぜず、人の苦痛を知らず、他の悪に敏感なれども、他の善を見ず、他の悪を知るに似て、唯（ただ）己の我慢を人の上に見るのみ。しかも我慢我慢を知らず。我慢、我慢を知れば、必ず真実の前に頭をたれる。真実その骨髄を貫くことなければ、我慢を我慢と知ることなし。

恩を知る者は、内に開眼せられたるものである。内に眼開くが故に、己の悪を知る。内に歩むことによって、人は畜生より遠ざかる。

名利によって動く者は、鹿を追う猟師の山を見ざるが如し。足の踏む所、手の動く処を見ざるが故に、名利かえって成就せず。一貫の歩みなきが故に。

恩を知る者は必ず、一貫の歩みを成就す。巌上の老松は人必ずこれを仰ぐ。一貫の操守老松の如き人のみ大成す。恩の行者は必ず一貫す。

聖人、万世に輝くは、如来大悲の恩徳に一貫するが故であり、

偉人、忠臣、孝子の長く人を感動せしめ、鬼神を泣かしむるは、恩に生きぬくが為である。

恩を知り、恩に生きるものは、世の光である。自然の道の行者である。

人の子よ。必ず我慢、貪欲、無慚無愧、恩を忘るるを以て最大の恥とせよ。

恩を知る者は帰る。

恩を知らざる者は、遠く輪廻する。

帰る者は、多くの善友と共に親の懐にあり、その慈悲の摂取の中にあり、輪廻する者は、悪知識と共にあり。念い八億四千の波と乱れて統一せず。やがてより深き暗のみ待つであろう。

人の子よ恩に生きよ。

四　護念と不退

大島御一家は、本年夏、台湾から五か年目に、阪神間住吉に帰って来られた。台湾の基隆に入られてから、そこには、有難い念仏の同胞が生まれて、お別れの時になると、知る限りの人々が別れを惜しんで泣いて送別せられ、まるで親に別れるように悲しまれた。

大島御一家にとっては、台湾は切るに切られぬ同胞のいる地、有難いところ、なつかしい土地、美しい華の咲いている世界として、今日も毎日懐しい思い出となり、彼地からの護念を感ぜられることであろうし、その護念を思われる時、必ずお念仏の中におられることであろう。

石井一家（家内の里）が十月下旬、広島に移住して、本部の近所に住むことになった。父母はもちろん一家の人たちの求道心は、遂にこうした形となって現われた。私にとってこれほど有難いことはない。岡山を発つことになると、岡山の念仏の同胞も、岡山の同胞たちは、泣き悲しんで別れを惜しんだことである。石井一家の者も、岡山の念仏の同胞も、生まれて初めての別離のつらさを嘗めたようである。しかし、流転三界中、恩愛不能断、棄恩入無為、真実報恩者、浄土の菩提心は、恩愛よりも強い。しかしその断って断たれぬ恩愛は、如来の大悲、本願の念仏によって、美しく結ばれ、彩られるようである。

石井一家の者にとっては、岡山は、有難いなつかしい美しい同胞のいます世界として印象され、互いに思い出す度に、その護念を感じ、いよいよ念仏の世界が深まって来るようである。

静かな池に小石を一つ投げると波紋がおこるように、一人の人間が平和な世界に我慢を持ち込むと、その平和が乱れる。乱れておこる波は、その人に帰り来たって迫るのが感ぜられるが故に、更にその波を打ち消そうとして、汚い我の手を出す。更に波が高くなる。その時その人言わく、

「平和ないいところだと聞いたが、来て見れば、風波の絶え間のない汚いところだよ。誰にも彼にも、親切などないじゃないか」

その男とは、今の今までの我が相である。何時も煩悩具足の我の立てた尺度は狂っている。

部屋に入るとむっと温い。大きな火鉢に火がおこっている。火鉢は彼の部屋が冷たいとは言わない。

私の愛憎や我が、私から発散して、それが一切万象を無明で塗りつぶす。我は我を引き出し、愛は愛を、憎は憎を引き出して、それが私に帰って来る。それが久しきにわたると、我より出

でたるものが我に帰って来るとは思われなくなって来る。

「貴方のことを一番思ってくれるのは誰でありますか」

「それは、親、妻、子供、そして兄弟でありましょう」

誰に問うてもそう答える。それに違いはない。しかしそれは愛によるのである。愛は必ず憎を孕(はら)む。であるから、一番愛するということは、一番憎み合うことでもある。一番愛するのが妻なるが故に、夫なるが故に、その一言によってすら、時に千万里の隔りを感ずるのである。

然るに、親鸞聖人の奥方は、聖人を、それとなく一生涯、観世音の御化身(けしん)として拝まれたそうである。聖人もまた奥方を救世観世音(くせかんぜおん)の御化身として拝まれたのであった。そこには、愛の中にいつつも、愛を超えて、同体の大悲が生きており、如来の本願、清浄なる智慧によって結ばれた世界が開けているのである。

我を、愛憎によるより外(ほか)には念じてくれる者がいないという世界は、淋しい世界である。

聖人は、聖徳太子とは、肉身の上ではお会いなさった方ではなかった。然るに、太子の御出現遊ばした日本国土に生を享(う)け、仏法を聞かれたが故に、太子の上に深重なる大悲(だいひ)矜哀(こうあい)を感得しておられる。即ち、聖人が、太子をお念じになるというよりも、太子こそ、聖人の上に、重愛を垂れたもうを念じておられるのである。

「無始よりこのかたこの世まで　聖徳皇のあはれみに
多々（父のこと）の如くにそひたまひ　阿摩（母のこと）の如くにおはします」
（島地一一―三九、西六一五、東五〇七）

「久遠劫よりこの世まで　あはれみましますしるしには
仏智不思議につけしめて　善悪・浄穢もなかりけり」（和讃）
（島地一一―三九、西六一六、東五〇八）

聖徳太子は、聖人にとっての親である。親にてましますが故に、久遠劫よりこの世まであわれみましますのであり、あわれみましますが故に、その矜哀によって、今、仏智不思議につけしめたまい、正定聚の身となしたもうたのである。自分が念じたが故ではない、念ぜられたが故である。今現に念じたもうが故である。我が念ずることによって住正定聚の身になろうとするものは多い、しかし念ぜられることによって仏智に入らしめられたことを感謝するものは少ない。

自力は自ら念ずることによって救いを求めようとし、信心の智慧は、護念の尊さに目覚める。自力の念は、念のやむ時は信もなくなろう、しかし念ぜられている身であることを感謝する者には、つきせぬ恩徳だけが光っている。

「多生曠劫この世まで　あはれみかふれるこの身なり

一心帰命たえずして　奉讃ひまなくこのむべし」（島地一一—三九、西六一六、東五〇八）

多生曠劫この世まで、念ぜられ、あわれみかぶれるこの身なるが故に、自然に一心帰命は生まれるのである。「護持養育」の大恩を「奉讃不退ならしめよ」と讃えられるのである。

以上の如き聖人の世界は、肉身に対する愛より外に感じない者にとってはうかがい知ることの出来ない世界である。時と処とを超えて、かくの如き護念を感得するということは、唯、念仏の世界、信心の智慧の世界においてのみ可能なことである。私は今さらに聖徳太子の護念を感得奉讃せられた聖人の信境を拝まずにはいられない。

人は二河白道において表されているように、無人空迥の灰色の大地に独りである自己を知らねばならない。愛憎のみの世界は、確かに、つきつめた時、たった一人である。

しかし何時までも、ただ一人であるものは、道に忠実であるものではない。あの世の親の招喚の声に覚め、その大悲光懐の摂取に安住するものは、その一歩前に、この世の真の親を発見する。この世に現われたもう慈父を知るものは、同時に、御同胞、御同行の護念が我に集中されてあることを知り、やがて諸仏の護念証誠を感得するのである。一人である自己を知らない者は覚めない者である。しかし何時までも一人である者は道に不忠実なるものである。

念仏の子は、愛の世のさびしさを知ると共に、念仏の世界の尊さ、にぎやかさを知る。念仏の世界は同一念仏無別道故の世界、善友善知識と共なる世界なるが故である。

凡夫は、浄土に帰依することを知らない。涅槃界たる浄土の法身に帰依することを知らない凡夫は真実の智慧を持たない。智慧は帰依によってのみ生まれる。

その智慧を持たない凡夫の心は、必ず衆生に対して、「懇親」と「隔執」とを持つ。一方に、非常に懇親を感ずれば、一方には非常な隔てを持つのである。

この懇親と隔執とは、決して浄土の心でなく、菩薩の智慧でなく、しかして念仏の意ではない。

よほど自己自身を深く凝視しないと、念仏しつつも、何時しかに、人間と人間の気質や性格が合うために懇親することを同一念仏と間違えている。懇親は一方に隔執を持つが故に、決して大悲の意ではない。浄土の意ではない。柔軟心はこの両方を越えた心である。しかして真実信心は柔軟心そのものである。

垣根に咲く菊一本すらが、懇親も持たないし、隔執も持ってはいない。それは唯、迷妄深き人間にのみあることである。隔執と懇親の心を内に見ることが出来るのは、信心の智慧によるのである。この心を見る者は、誠に罪悪深重を慚愧すべきである。

大法をば忠実に受け取らずして、しかも親しく馴れるが故に、我が前に坐して世間の雑話に興ずる人に、時間をとられることを甚だ悲しいことに感ずる心が日に日に増してゆくようである。

念仏の世界では、この机一つの間隔が、十里になろうと、百里になろうと、七百年になろうと、二千五百年になろうと、遠くなく、近くない心である。愛するにも、憎むのにも、机一つが邪魔になる。

畢竟（ひっきょう）、同一の大法が、甲に生き乙に生きる時、愛憎の手を離しても、同心一体である時、真の同胞であるのだ。であるから、同一念仏の世界は、如来の清浄心によってのみ成就するのである。

たとえ徹底せる念仏行者の教えを受けたからとて、誰も彼もが同一に育つものではない。何年たっても育たない者もいるだろうし、道ならぬことをする者もいるだろう。

「あの人の世界だって大したことはない。あの人の教えを聞く甲を見よ、甲の様を見よ」と甲のみと深い関係の人からは言われるに違いない。しかし甲が幾年経ても念仏の世界に入らない人よりも劣っていようとも、甲に念仏があり、遅々たる求道の相がある以上、それに隔執を持たず、その念仏を拝んでゆく人にしてはじめて、よくすくすくと育った人に懇親を持たないであろう。しかして、かかる人の周囲にのみ多くの念仏の上々華を咲かせるであろう。美しく咲いた念仏の華、より美しい華のみを選り好んでそれに懇親して回るが如き者は、ついにはその華さえもやがて損なうであろう。

先哲や師の養育せる念仏の華園に懇親して、それによって甘き汁を吸うことは易く、無仏の世界に使いして念仏の華を咲かしむることは難しい。

名利に心動くこと強く、一貫相続の行歩なき人の周囲には、真の念仏の同胞は生まれない、たとえ念仏の華園に入るとも、その護念を得ることは出来ない。

されば、念仏の行者は、ただ教えに忠実に、仏の清浄光に照破せられて、隔執と懇親とを超えて、忠実に自行の一道、自利の一道、願作仏心の一心に生きぬくべきである。

そこにのみ、清浄なる念仏による護念は得られるであろう。

愛憎を越えての護念証誠を得るもののみ、住正定聚の人となるのである。尊き護念を感得する者のみ、今の一歩、今日の念々の生活経験のすべてが、尊重なるものとなって来て、憍慢を許さず、自卑にとどまらず、千万金の尊重なる念々の生活を持続するに至るのである。

「諸仏の護念証誠は　悲願成就のゆえなれば

金剛心をえんひとは　弥陀の大恩報ずべし」（島地一一―一二〇、西五七一、東四八六）

諸仏の護念証誠はこれを求めて得られるのではない。それは唯、その生活が真実なるがためである。金剛心による一貫の相続があるが為である。本仏の本願力によるが故である。

今日、寄せ来る虚妄（こもう）の波に怯（おび）え、はてなきぬかるみにあえぐ子よ。この一文を真に読め。本仏の聖なる願意に忠実であることが、本師聖人の教えに忠実に信順すべきことが、唯一絶対となった者には、山なす大波も消えて見えぬであろう。もし一貫の行歩乱れて護念証誠を失わば、そこには一体何がある。戦慄に値す。問題は唯一道にあり、一心にあり。

五　今日一日を

「今日ばかりおもふ心を忘るなよ、然（さ）なきはいとどのぞみおほきに」（島地三〇―一一、西一二五三、東八六八）

今日一日念仏申すこと、今日一日、仏の光に照らされ、今日一日、仏恩を憶念して生きさせて頂くこと、今日一日の覚悟。これ如来の真実によって満たされて生きるものの一大事因縁である。

高く貴く買ったようでも、低く粗末にしているのが大法である。又どれだけ高く貴く受け取っても、底がないのが大法である。

真実の教法に全我を投じ、大法に終始したところに聖者があり、煩悩の出るがままに、教法を聞かず、道に反逆するところに、一生を空費して何ものもなき凡夫の生存がある。

聞其名(もんご)号信心歓喜(みょうごうしんじんかんぎ)……第十八願の世界にあらずば、聖なるものは絶対に衆生のものとならず、仏も菩薩も誕生することはない。しかれば十七願名号の説かれる会座(えざ)は、尊くもまた高く、清くもまた純粋に、開かるべきである。

一山の住職、この会座を開かんとするや、まさにこれ一生における大事中の大事これに過ぎたるは無しとの覚悟あるはずである。もしこの開会において、あるいは名利、あるいは勢力、あるいは物欲、あるいは仁義、あるいは興業気分等々の俗悪虚偽混入せんか、その罪万死に値すべし。

住職まず、本仏、世尊、聖人の御前に五体投地して、懺悔(さんげ)合掌して聴法の第一人者となりて求道精進すべし。この一事成就して初めて住職たるの第一資格成就せりというべし。

『智度論』巻第九十六にいわく、

「当レ遠二離悪知識一 当四親二近供三養善知識一 何等是善知識 能説二空無相無作無生無滅法及一切種智一 令二人心歓喜信楽一 是為二善知識一」

浄土の真宗においては、能く本願の名号を説いて歓喜信楽せしむるを善知識となす。住職、合掌して聞くに堪えざる人を寺に入らしむべからず。

聞其名号信心歓喜、非難にも攻撃にも、迫害にも賛美にも、順境にも逆境にも、すべての時に、己を見つめて、大法を聞き、ただ教法によって内に満たされて余念なかれ。

「不レ惜二身命一不レ求二名利一」（『智度論』）

専修専念、一道にあって不退転なれ。

嫁がんとする子、これより教法の思うがままに聞かれざるを悲しむ。我、痛くこれに同情す。されど、それよりもなお、大法に遠ざかり念仏なきも、世の五欲煩悩のみに充たされて、み法の聞かれざることを何とも思わず悲しまぬ日の来ることを、更に悲しむ。

何よりもまず、今日念仏申せ。今日の念仏真実なれば、失う日あることなかるべし。

願は必ず道を発見す。

念仏行者よ如実なれ。外に如何なる大事が起ころうと、内に如何なる煩悩が起ころうと、ついに念仏の失われず、金剛の信心破壊すべからざるを如実とする。

如実とは如来本願そのままの大信である。浄土に根ざす念仏である。重ねて言う。内と外とに何が起ころうと念仏の失せぬ人となれ。

身口意の三業に悪を見ざるものは無自覚である。悪を見れば、その信念もまたこわれるを聖道自力の機となし、煩悩よりほかに我に無きを知って、ついに念仏相続して憶念の信を失わざるをもって浄土の真宗となし、正定聚の機となし、等正覚を獲たる人となす。

身は聖道のお山におりつつ、ひそかに山を下りて悪を行じ道心を失うを叡山の悪僧となし、山を下って自ら人生の曠野に肉食妻帯の煩悩に沈みつつ、いよいよ道心堅固に、信心決定して念仏せるもの、すなわち我が聖人である。

仏魔隔つること紙一枚、他力金剛の念仏の有無をもって定むべし。泥尊きにあらず、蓮華の咲くを尊しとなす。

今日教えを聞いて、明日善くなろうとする心、今までは悪かったが、いよいよ今からよくなろうと思う心、この心即ち、油断のならぬ心である。この心に欺かれること幾千度、真の道に徹せざる心である。煩悩有漏の一時の有様にすぎず。

今日も悪く、昨日も悪く、明日もまたいよいよ悪いのである。三世の悪業、今の一念の信に転悪成徳せられ、今の一念に如来の功徳大宝海を全領して、現前の一念に満足し生かされるもの、念仏の信である。これを宗教というのである。

「この世には、み法を聞き、念仏申すために出されたのであった」と真になりきれた人があるならば、これ仏道の至極に至った人である。

貪欲が患者の脈を見るかわりに、念仏が脈をとり、名利が教鞭を持たずして、念仏が教壇に立ち、我慢が鋤鍬をとるかわりに、お念仏が田畑に耕すことをいうのである。

我らは今現に、この人を拝む。有難いことである。

かくの如きを成就すべき仏道を、もしこれを用いて、己が名利の架け橋にせんか、直ちに如来聖人の御罰をこうむるであろう。

貪欲は明日に大望を抱き、念仏は今日一日に満足す。

「今日一日のお念仏、それで終わっても悔いはないか」
よくよく心に問うて見るがよい。

大望の成就しないものは、灰色な敗残の身をかこち、大望成就したるものは、いかにも繁栄と幸福あるがごとくなるも、はたして最後の日、不滅の光悦あり得ようか。欲の満たされきった日は、飽く日である。
念仏の子は、永遠に現在に輝く。

我らが団には、あまりに人多し。決して人を求むべからず、念仏を求むべし。勢力拡張をはかるなかれ、ただ深く教法を聞いて不退転なれ。横に広がらずして深く歩むべし。一人の人、軽んずべからず、これを絶対の存在と拝むべし。善人を求むべからず、悪人を拒むべからず。宿善開発して教法を聞き、念仏の人となれば、この人ただちに希有人であり、最勝人である。

恵まれて求道年久しく、念仏の毎日を相続するならば、「徳孤ならず、かならず隣あり」。身の周囲に、念仏の尊き同胞を得るであろう。まことに御冥見を恥じ、御冥加を喜ぶべし。これ如来より賜りたる最高の恩賜である。国土の徳である。我が力にあらず。自ら高くするなかれ。もし我が力なれば、思いのままに誰にても救い得べし。念じても助けえず、念ぜずして与えられたるものである。合掌してこの華(はな)を拝むべし。讃嘆(さんだん)すべし。ただ今日一日、いよいよ念仏申すべし。

幾年、聞法し念仏するも、家族の一人すら動かず、かえって悪罵(あくば)せられ、邪魔をされる人あらば、いよいよ我が機の悪を知り、高上がりして人を責めず、低く合掌して事ごとに謹みて、さらに今日一日念仏申すべし。如来のみ一切を知りたもう。ただ一人念仏すべし。恒沙(ごうじゃ)の諸仏菩薩は護念証誠(しょうじょう)したもう。一年二年、しかして一生、ただ念仏申すべし。順境にも逆境にも念仏申すべし。かくして今日一日を錦の上にあらしめよ。

六　念仏と心の波

一。人間のすることは、行き過ぎたり、足りなかったりする。言い足りなかったり、言いすぎたり、思いすぎたり、思い足りなかったり、そうしたことが人間の生活である。時候だって、ある日は度はずれに暑かったり、寒かったりして、だんだん暑くなってゆく。一直線に上がって行かないで、波形になりつつ上がって行く、この波形の幅が甚だしい時、気候不順だという、不順な気候は、弱い人の体には病気を引きおこさせることが多い。

一。出来ることならば、この行きすぎと、行き足りなさの少ない生活をしたいものだと思われる。昨日はセルでも暑いようであったのに、今日は袷（あわせ）に羽織（はおり）でも寒いというように、ただ変化が甚だしいということは、私の周囲の人を困らせるだけである。しかも気候であるならば、結局、冬から夏になるか、夏の暑さから冬の寒さになるかであるが、人間の感情は変動があるばかりで、つまりは同じところにとどまっている。同じところにとどまれば、周囲の人をもまた同じところにとどまらしめる。もし向上の一道をたどるならば、その周囲をも向上せしめるであろうし、堕落するならば、その周囲をもまた堕落せしめるであろう。

人間の情に絶対の変動のない向上を求めることの出来ないことは、気候の変化に、直線形の変化がないが如くである。

ではあるが、たとえば、さっきはいいお天気であったものが、ただの一言で直ちに時雨（しぐ）れたり、三日も泣いていた者がころりとはしゃいだり、そうした感情の激動のままに生きるならば、人はその人と共に生きることを迷惑に思うであろう。喜びが波の頂であるならば、悲しみは波の谷である。この波の幅をじっと見つめて、そして波の動きが何であるかを照破されて、私が何であるかを知らせて頂くことは、最も大切なことである。

一。聖人も悲しみたもうたし、聖人も喜びたもうた。しかしその悲喜の波が、人間の三毒の波だけでなく、如来大慈悲の御意（みこころ）を中心とする波の動きであったが故に、そのお悲しみが、人間の迷妄を覚まし、そのお喜びが、人間に正しい道を示されたのである。

一。人間の感情の幅の少ない人、それは、世に人格者として尊ばれる人、あるいは降る照るの少ない人として、可愛がられる人であろう。いと小さい事にも、恐れおののいて震え上がってしまったり、小さい名利煩悩の満足にも、天地に躍って喜んだりする人間、夫の一言に三日三晩も泣き明かしたり、帯一本でからりとお天気がよくなったり、世の中に生きる夫が、毛一本ほどの苦悩に腐ってしまって、家族の者にあたり散らしたりするようでは、第一、家族の者すら尊敬するものではない。

　であるから、修養に志す人はものに動じない人になろうとする、変動の波の少ない人になろうとする。仏教ではこの問題を如何に考えられるのであろうか。

　ここに於て、まず二つの世界が考えられる。その第一は波そのものを無くしようとする生き方であり、第二は波そのものはそのままにしておいて、それよりも、もっと根本のものを問題として、波の底に尊いものを成就して行こうとする世界である。

第一の喜怒哀楽の波を静めようとする世界が聖道門であるならば、その波をおこすにまかせておいて、動く波そのままを生かして下さる光を得ようとするところに浄土門、他力念仏の世界があるようである。

一。御開山聖人は、まず聖道門に入って天台の法門を学び、やがて諸宗の知識を訪ねて解脱への道を求められた。『報恩講式』の文には、

「鎮に明師に逢うて大小の奥蔵を伝へ、広く諸宗を試みて甚深の義理を究む　然れども色塵・声塵、猿猴の情尚忙しく、愛論・見論、(注)黐膠の憶彌々堅し　断惑証理愚鈍の身成じ難く、速成覚位末代の機覃び叵し」　（島地三三―一三、西一〇六七、東七三九）

と示されてあり、『歎徳文』には、

「定水を凝すと雖も、識浪頻に動き、心月を観ずと雖も妄雲猶覆ふ　而るに一息追がざれば千載永く往く」　（島地三三―一八、西一〇七七、東七四四）

（注）黐膠の憶：人間的な考え方や愛情にからめとられて離れることができない心。

とあらわされてある。これみな心の波の静まらず、色塵声塵とて見るにつけ聞くにつけ、猿猴の如き情の忙わしく動くことを示されたものである。ここに行き詰まった聖人は、浄土真宗によって、如来の本願に救われる身となられたのであった。

一。この世にある限り、利・衰・毀・誉・称・譏・苦・楽の八風が吹き、喜・怒・哀・楽・愛・憎・欲の浪が立つのはどうすることも出来ないことである。しかるに、この波をそのままにして、起こしっ放しにすることは、凡夫の救われざる恐ろしい相であるし、これを起こさぬようにしようとすることは徒労である。ここに第三の世界が開かれる。それは、この起こる煩悩の根源に横たわる本罪、根本無明たる不了仏智の疑心を、仏智によって亡ぼして頂いて、そこに尊くも美しき清浄真実の信心の智慧を成じて、一切の波の上にこの信心の光が現われて下さる生活に転じられることである。

　この大信心は、いわゆる金剛不壊の大信心である。時ならずして霜が降りてくれば弱い桑の芽はすべてやられてしまうが、梅の花は寒月霜雪の中にいよいよ香るのである。行きすぎる暑さ寒さにも、いかなる八風の中にも亡ばぬものは、願往生の大信である。他から来る八風の過不及の刺激にはよく堪えると共に、自らの識浪の上には仏智が光って下さる。ここにあるがままの個性があるがままにすべて否定せられて、本願によって輝きあらしめて下さる世界が、仏凡一体の念仏の世界である。

一。子供を失って泣き悲しむ親に、「泣くな悲しむな」と教えるものが聖道型の自力の人であれば、泣く人に同じつつ、泣く心をそのままに、大信心を獲得せしめ、自ら念仏の広大に覚めて仏恩に蘇り、やがて、我が愛子の死を悲しむままが、「お前が死んでくれたらこそ、私たちがこの深い大悲の世界を知らせて頂くことが出来た。お前こそ善知識であった」と、その悲しみの情そのままが純化され、悲しみの涙が感謝の涙に、慚愧の涙に変わるのが、念仏の世界である。泣くだけでは、死んだ子は親を殺す。それが真に自利成就することによって、子の死は決して犬死でなくなる。一人子を殺した親が、それ故に今はみ法によって世の燈となっているようなことは、世にたくさんあることである。

波が立つことは、人生に生きている以上、どうすることも出来ないことである。しかるに、如来本願の大悲によってこの波は美しい相となることである。

「晴れてよし　曇りてもよし　不二の山」。富士の山は風によって動きはしない。如来本願の念仏があるかぎり、貪愛瞋憎の雲霧の行きかう相は、ある日は速く、ある日は遅く、ある日は濃く、ある日は淡く、念々刻々移り変わろうとも、変わるままに、変わらぬものに生かされるのである。いかに風が速くとも富士の山がぐらぐらしたことはない。といって念仏に力を入れて、これを動かぬものとすれば、富士の張子(はりこ)をかぶって煩悩を隠そうとするのである。いかにこの張子の富士の多いことよ、強い風には飛ぶであろう。

一。正しい信は、具体的には、帰命のすべてが慚愧となり感謝となる。清浄なる智慧光によって、光も色もない無明煩悩が、美しい色となるのである。煩悩なくして慚愧があろうか。しかし煩悩のみにて慚愧があろうか。如来の大悲光明ましますが故であり、煩悩あるが故である。慚愧の至境(しきょう)は感謝であり、感謝の極致は帰依である。帰依は如来によって成ずるすべてであり、人間の浄化されてゆく相である。如来は人間のありのままを浄化し、純化して、それを通して人生に光って下さる。

一。人間は行きすぎたり、足らなかったりする。如来本願にはそれがない。それ故に、如来の本願によって救われねばならない。念仏の衆生のみ摂取される如来の大悲も領解(りょうげ)出来ることである。

行きすぎて成就する利他でなく、世話上手であまねく広まる大法でもない。願往生の自利より外(ほか)に、利他の世界は開いてはこない。筍(たけのこ)が昨日は三寸であったものが、今朝は二尺になり、夕方は一尺に縮まっていた、というようなことはない。人間のみが、思いや口先で三寸になったり、二尺になったり、また一尺に戻ったりする。考えさせられることではある。念仏して私の心をじっと見つめていると、一切は煩悩の動きに外ならないことが知られる。

第四章　信をとらぬによりて悪きぞ

信心は智慧である。
智慧は如来心そのままの光である。
衆生の心内にほのかに照らす光である。
智慧は我を遠離する。
したがって智慧は無我の心である。
人生の一切の美しい華は無我の心によって咲くのである。
無我の華に尊い香りがあって残るのである。

一　精進と懈怠

精進と懈怠（四十八か条）

一、大信成就して、報謝の大行に余念なきを精進（しょうじん）と言い、信心もなく念仏せぬを懈怠（けだい）と言う。

二、仏、法、僧の三宝に絶対帰依して求道するを精進と言い、三毒煩悩に追い廻（まわ）されるを懈怠と言う。

三、善知識を嫌い、同行に遠ざかるを懈怠と言い、善知識同行に親近（しんごん）してみ法（のり）を相続するを精進と言う。

四、広大無辺の恩徳を喜ぶを精進と言い、御恩を忘れて貪るを懈怠と言う。

五、得手勝手に法を聞いて、邪見憍慢（じゃけんきょうまん）を募るを懈怠と言い、法によって我を知るを精進と言う。

六、大法（だいほう）を好まず、享楽ばかり求むるを懈怠と言い、何よりも御法を楽しむを精進と言う。

七、無我に生きるを精進と言い、我慢で貫くを懈怠と言う。

八、真実に生きるを精進と言い、虚偽に躍るを懈怠と言う。

九、仏法の讃嘆に口を使うを精進と言い、いらぬ悪口雑言(あっくぞうごん)、世間話に口を使うを懈怠と言う。

十、五欲に時間を使うを懈怠と言い、行住坐臥(ぎょうじゅうざが)を念仏に使われるを精進と言う。

十一、仏の御冥見(ごみょうけん)を恥じ、御冥加(ごみょうが)を喜ぶを精進と言い、世間の人目のみゴマ化すを懈怠と言う。

十二、仏法を主(あるじ)とし、世間を客人とするを精進と言い、世間を主として、仏法を上げ下げして弄(もてあそ)ぶを懈怠と言う。

十三、世間、名利の奴隷となり、人におとるまじきと思うを懈怠と言い、仏の御前に名を挙げるを精進と言う。

十四、大法のために自己を捧げるを精進と言い、我欲によって自己を惜しむを懈怠と言う。

十五、善知識の言葉を受け取らず、悪事を捨てぬを懈怠と言う。教えの通りに、捨つべきを捨て、取るべきを取るを精進と言う。

十六、念仏中心の生活を成就するを精進と言い、貪欲(とんよく)中心に働くを懈怠と言う。

十七、自信教人信(じしんきょうにんしん)、自行化他(じぎょうけた)に生かされるを精進と言い、自損損他(じそんそんた)に生きるを懈怠と言う。

十八、常行大悲(じょうぎょうだいひ)に生かされるを精進と言い、常に怒るを懈怠と言う。

十九、柔和忍辱(にゅうわにんにく)、歓喜踊躍(かんぎゆやく)、いつもニコニコするを精進と言い、灰色に愚痴のみ言うを懈怠と言う。

二十、よいものを衣、美味しいものを喰うことばかり考えるを懈怠と言い、御恩を衣食うを精進と言う。

二十一、先の希望幻を追うて現在がぬけているのを懈怠と言い、今の今現在の有難さに覚めて生かされるを精進と言う。

二十二、内の空虚に気がつかず外へ外へと歩むを懈怠と言い、内へ内へと内にかえるを精進と言う。

二十三、一心の相を精進と言い、二心三心、悪雑に生きるを懈怠と言う。

二十四、清浄の願往生心に生きるを精進と言い、貪瞋二河に溺れるを懈怠と言う。

二十五、金剛不壊、一道を執ってたじろがざるを精進と言い、群賊悪獣になれ親しんで、二道三道を歩むを懈怠と言う。

二十六、如実修行の相続するを精進と言い、途中でやめるを懈怠と言う。

二十七、得た得たと独覚心になるを懈怠と言い、合掌求道してやまぬを精進と言う。

二十八、他人の世話ばかりして、我を棚に上げるを懈怠と言い、他人の上にも我が相を知るを精進と言う。

二十九、会うこと見ることが善知識になり、信心の深まるを精進と言い、何に会うても、貪欲で受けるを懈怠と言う。

三十、足らぬ足らぬで生きるを懈怠と言い、御恩に満足し、感謝して生きるを精進と言う。
三十一、苦悩に出会えば逃避し、自暴自棄するを懈怠と言い、苦悩に随順して、忍終不悔（にんじゅうふけ）の一道を歩みきるを精進と言う。
三十二、途中から横に掘るを懈怠と言い、どこまでも深く徹するを精進と言う。
三十三、御聖教（ごしょうぎょう）を拝読しても、何の味もないのを懈怠と言い、仏典の一字一字が生きた仏と有難く尊く頂戴出来るを精進と言う。
三十四、朝夕の聖勤は心から出来ず、雑談するには時を忘れるを懈怠と言い、仏前が親しまれるを精進と言う。
三十五、毎日毎日の生活が味気ないのを懈怠と言い、「明日はない」と知って今日の一切を一期一会と心得て生きるを精進と言う。
三十六、念仏を唯一絶対、一仏乗（いちぶつじょう）と信知（しんち）するを精進と言い、念仏と外（ほか）のものを並べて生きるを懈怠と言う。
三十七、煩悩の気に入る、賞讃や甘やかしは喜んで受け取って、苦い忠言は受け取るまいとするのを懈怠と言い、壁や柱にさえ耳をよせて、自己の悪や欠点を知ろうとするを精進と言う。
三十八、全我を挙げて輝き生きるを精進と言い、頭や手が別々に、ものを手先や、口さきでするを懈怠と言う。

三十九、我慢貪欲で、奮闘するを懈怠と言い、寂静無為の楽に通うて生かされる静かな生活を精進と言う。

四十、善人と思い賢者と自惚れて高慢に人のみ裁いて生きるを懈怠と言い、大愚大悪に徹しきるを精進と言う。

四十一、仏法に底を入れて売手になり商売道具にするを懈怠と言い、餓死をも覚悟して大法に生きるを精進と言う。

四十二、「聞く時はさこそさこそと思えども、その場を去ればあとかたもなし」。若存若亡、ふらふらするを懈怠と言い、山の中に独りでいようと憶念するを精進と言う。

四十三、悪知識に親近して慧命をつみきられるを懈怠と言い、無碍の一道に育ち上るを精進と言う。

四十四、世の中の暗の中心となるを懈怠と言い、家庭、社会の光の中心となるを精進と言う。

四十五、人の仏道成就の邪魔となり、提婆の役目をするを懈怠と言い、念仏三昧になりきって仏法弘通に役立つを精進と言う。

四十六、仏法を学んで、世間の肩書の為にするを懈怠と言い、心を仏法に修めるを精進と言う。

四十七、仏法の誠なることを、身をもって顕すを精進と言い、仏法に傷をつけるを懈怠と言う。

四十八、一念の信力よく、三世十方に徹貫して、諸仏諸菩薩の護念証誠に生かされるを精進と言い、自力疑心悪業自然に生きて、如来聖人の御冥見に漏れ、六道に輪廻するを懈怠と言う。

二　頼りになる者

「一。『不法の人は仏法を違例にする』と仰せられ候　『仏法の御讃嘆あれば、あら気詰りや疾く果てよかしと思うは違例にするにてはなきか』と仰せられ候ふと云々」（『蓮如上人御一代記聞書』）（島地三〇—四〇、西一三二〇、東九〇六）

蓮如上人の仰言である。無信心の人は、仏法のことを違例、平常不断の事としないで、特別違ったこととすることである。だから、仏法御讃嘆の席がはじまると、あらきづまりや、早く果てればいいのにと思うとの仰せである。み法の席を嫌う者は、もちろん念仏の人をも好かないで遠ざかる。

世間五欲の生活が普通であって、仏法は特別のことである。念仏は非常であって、何か違ったことであり、世間のあってもなくてもいいことが通常事であるとの考えは、だいぶ法を求めた人でもその通りではないか。

念仏生活は非常ではない。念仏生活こそが何人（なんぴと）も成就し生活しなければならぬ平常不断、平凡なる道である。よそ行きの相ではなくて、平常服（ふだんぎ）である。

忠義も、孝行も平常服であって、よそ行きの晴れ着ではない。念仏行者はかく信ずる。

真の闇には何も見えない。しかし曙（あけぼの）の光が闇を破りはじめて、この世の相が見えはじめた時、それは決して、特に造られた非常事ではなくて、あるがままの平常事である。

念仏の世界は如来回向の智慧の世界である。恵まれたる信心の智慧によって見えはじめて来たところの、我、人、世間の真相は、あるがままの真相であるが故に、再び変わって来るものではない。

そこで、信心の人は信心の人の尊さを知る。

人の智慧、内に開いて来る世界は、その受けた教えの深さに比例する。深い教えは、深い智慧から生まれるが故に、その教えを聞く人もまた、深い智慧の世界に帰入せしめられる。『大無量寿経』は、覚者たる世尊の説かざるを得ずして説きたまえる経である。したがって聞くものをして覚まさずにはおかないのである。

証書を入れておいてもあてにはならぬ。印を捺しておいても、証人を立てておいても、ほんとうにあてにはならない、門徒というも力にはならない。

しかし教えによって真実開いた心だけは、ついに何によっても、もとにかえすことは出来ない。真の力になるものは、ただ、教えによって迷妄を破られ、そこに開いた信心だけである。千里の遠きにあろうとも、同胞はついに同胞である。

「一。同仰せられ候　『世間にて時宜しかるべきは善き人なりと雖も、信なくば心をおくべきなり、便にもならぬなり　たとひ片目つぶれ腰をひき候ふやうなる者なりとも、信心あらん人をば頼もしく思ふべきなり』と仰せられ候」

（島地三〇―一五、西一二六二、東八七三）

まことに蓮如上人のうがったみ教えである。「世間にて時宜しかるべきは善き人なりと雖も、信なくば心をおくべきなり、便にもならぬなり」とは、世間では、才能があって時にかない、所に適当してなかなかはたらきのある善い人でも、信心なき人には、最後まで心を許すことは出来ない、心をおくべきである、真に頼りになるものではない、と仰せられるのである。その通りである。時にあたって宜しく善処する才子には、決して心を許すことは出来ない。しかし

「たとえ片目つぶれ腰をひき候ふやうなる者なりとも、信心あらん人をば頼もしく思ふべきなり」と、まことに私の過古の念仏生活の経験は、このことの真実であることを知らせて下さった。

信心の人は、如来の真実に眼を開かれた人であり、真実を生命とする人であり、自己の真相を知って回心懺悔せる人であり、一道を歩む人なるが故に、頼みになるのである。道を平常となし、仏法を違例とせぬ人であるが故である。

大聖は、世の中のかくある当然の相を、そのままの相に知り、そのまま受け取り、その中に深いものを見出して大聖となられたのであり、凡夫は、平凡にして当然の相すらこれを受け取らず、これを捨て、これを見ず、あるいはこれを避けんとして、ついに何ものをも得ずして、この世を去るものである。

生まれたものは死し、会うた者は必ず別れる。それは、悲しくとも、辛くともどうすることも出来ぬ大地の実相である。結核の第三期となり、胃癌の重症となる、そうした時、どんなに絶望の重患であろうとも、それを何とかして逃れ救われようとしてもがく。そこにあさましい迷信祈禱の世界が最後までまつわりついて、しかも助からないで死んでゆく。
死にゆく自分を自分として受け取ってゆく所には、深い智慧が生まれて来る。しかもそれは、大法を聞き、念仏に乗托しないでは不可能であろう。

子供はすでに五人ある。結婚して十五年、どれだけ夫の欠点をつき、その不甲斐なさをせめ、夫婦間の冷たさを言いまわっても、如何とも出来ないことである。今さら夫の改造も出来ず、五人の子供をおいて帰られたものでもない。一度はっきりその夫を受け取ったがいい。念仏合掌の心が生まれ、その心で夫に向かうことが出来た時、必ず夫のいい所が現われて来て、新しい世界が開いて来るであろう。夫婦間を冷たくしていたのは貴女であるとわかって来るであろう。私はそうして更生した夫婦をあまりに多く知っている。
貴女の高慢一つが見えないのである。本仏のみ前に、貴女の胸のどん底に巣くっている邪見憍慢心を投げ出すべきである。そしてその下った頭を以て、親にわび、夫にわび、子供にあやまるがいい。

猫は西陣織の上に泥足で上っていても何とも思わない。凡夫は、どんな恩徳の中に包まれていても、なおそれに足らずして他のものを求めて走る。宝玉の如き尊きものも、西陣織を敷きつめたような世界をもすてて、小さきものを追うて逃げてゆく、猫が鰯を追うて走るように。だからこそ、信なきものは何を求めていつ走り去るやらわからぬが故に、頼りにならぬのである。

如何に尊い世界に出あい、尊いことを聞いても平気であるものは、同時に如何に恐るべき世界に足を入れても平気である者である。炎々たる炎の上で踊っていてもそれを知らない。彼は時に善友と悪友、善知識と悪知識のみわけがつかない。時にその御機嫌をそこなえば、明智光秀の二の舞さえ演じて平気である。だから唯一絶対の如来に、真に眼の開けない者は、頼りにはならない。才子であればあるだけ、あてにはならない。

五欲煩悩だけで生きている者は、必ず己の五欲煩悩を満足させてくれる者を以て、頼りとし、力とする。その欠点短所不徳を責め、苦き良薬をくれる者よりも、名利を満足させてくれる者が頼りになる人と見える。そこで教えよりも、権力者の子分となって、己の名利欲を満足しようとする。

あるいは又、己の名利欲の為に多くの人を犠牲にして平気となる。

かかる人には永遠の光の道はとざされてある。

寺の院主が、門徒総代や、門徒の御機嫌をとる。やれお茶だ、酒だと、ただこれ御機嫌をとる。何の為にそうするのだ。やがて、手に負えない門徒総代が出来る。何年たっても、真に力になってくれる人は一人もいない。威張る為の門徒総代、子孫に総代をしたことがあると名を残したい為の門徒総代、ついに一人の念仏行者は生まれないで、やがて寺を縛るやっかいな足手まといとなる。何に頼るべきであるかを知らなかった者の当然の成り行きである。

酒を飲みたい為に集まったものは力ではない。名利心で集まった者も力ではない。愛によって集まったものも力ではない。御褒美目当てに集まったものも力ではない。どんなに今仲がよくても、永遠の力ではない。ただ、同一真実教によって、同一念仏の世界に生かされる信の人のみが力である。

「『その籠を水につけよ、我が身をば法にひてて置くべき』よし仰せられ候ふ由(よし)に候　万事信(しん)なきによりて悪(わろ)きなり　善知識のわろきと仰せらるるは信の無きことをくせごとと仰せられ候ふ事に候」

(島地三〇—一四、西一二六〇、東八七二)

信のないのがいけない。ただ、信のないのがいけない。ついに信のないのが悪い。信がなければその生命とするところは五欲である。

如何に破れ籠の如き身であろうとも、愚かであろうとも、無力であろうとも、その身を大法(だいほう)に浸して、大法の水に五蘊仮和合(ごおんけわごう)のこの身をつけて生きさせて頂く、そこに、仏凡一体の信の世界が開ける。

ああ、幸なる哉(かな)、我はこの世に生まれてかかる永遠の善友を如来によって与えられた。真に力となって下さる同胞を恵まれた。だが、我等は甘えてはならない。この同胞と共に、念仏して御浄土まで歩ませて頂く、これにすぎたよろこびはない。

私たちの生くべき世界は、明瞭である。

三　感謝寸言

今日を無意味に動く者は、一生を無意味に送る。

一事を軽々しくするものは、万事を軽々しくする。

無意味に動いても、やがてそれから起こった事は、深い意味をもって迫って来る。軽々しく動いても、それから巻き起こされることは、やがて重い圧力をもってせめよって来る。

重々しい人生の歩みは、仏の教えの言々句々（げんげんくく）を重々しく受け取ることによって生まれる。

「尊重すべきは世尊」であり、聖賢であり、聖人である。

しかして、世尊聖人を尊重するとは、その教えを尊重することである。

世尊聖人のみ教えの前を素通りするものは、恐らくは人生を素通りするものである。

何と我の素通りの多かったことよ。


口に摂（と）りし美味美食は、去って見れば、あとかたもない。

耳に聞いて身にしみた教えだけは、年経（ふ）るままにいよいよ我が真の身代であることが知れる。


　如来の御回向であるとしみじみ頂けたことだけが、その人のものになっている。知った私が賢（え）らかったり、努力した自分を認めていたりしている間、まだまだ自分のものになってはいない。

　法を領解（りょうげ）するのに、苦しんだり努力したりしたのは、私が愚であり、憍慢であり、邪見であるために、あなたに骨を折らせただけのことである。

　信と、忠と、孝とが、一番易いのに、凡夫（ぼんぶ）の為には、難中の難となる。「往き易くして人無し」。

私の周囲には、沢山な念仏の同胞を賜うた、これ以上の有難いことも、尊いこともあり得ない。それらの方は、皆、魂を打ち込んで、護念証誠して下さる、この護念証誠によって、往生させて頂くのである。

私の行くところ、何処も、何時も、有難い処ばかり、有難い人ばかり、噫。何と言うことか、何と言う幸か。分々秒々、歩々声々のこの念い、じっとみつめて、捨てられぬ捨てられぬ。

いくら私の話を聞き、私の書いたものを読んで下さって、それで助かって下さった方があったにしても、私の力では微塵もない。

その証拠には、私に近い人ほどみ法が生きているか。そうではないじゃないか。聞かぬものはどうにもならぬではないか。その人の宿善が有難いのだ。如来の御仕事なのだ。

お念仏申しつつ、み法を頂戴しつつ、あるがまま、出て来るままを頂いてゆくと、面白い。有難い。有難い如来大悲の回向。

法を求めるのに、何が一番、大事かと問われたら、

「我が法を聞くことはたやすいが、法で我を聞くことはむずかしい。これだけは、いやはや、

難中の難である。よほどよほど頭を下げた気でも、これは出来ていない」と答える。

四　信をとらぬによりて悪きぞ

「一。『信をとらぬによりて悪きぞ、ただ信をとれ』と仰せられ候　善知識の『わろき』と仰せられけるは信の無き事を『わろき』と仰せらるるなり　然者前々住上人、或人を『言語道断わろき』と仰せられ候ふ処に、その人申され候『何事も御意の如くと存じ候ふ』と申され候へば仰せられ候『ふつと悪きなり、信のなきは悪くはなきか』と仰せられ候と云々」（島地三〇—二六、西一二八九、東八八八）

「信をとらぬによりて悪きぞ、ただ信をとれ」。これが、蓮如上人にしても、その他の善知識（ここでは、蓮師の御子様方、及びその御弟子方のこと）にしても、常に仰せられる、異口同音の思召しであった。信のないことが悪い。ただ、信心のないのが悪い。それは又どうしてであろうか。

けだし、全てのことには、本と末とがある。末は本あっておこり、本によって末は治まる。

衆生の悪業は数えられぬほどある。けれども、その根本は一である。善もまた色々な形をとる。しかしその根本は一である。

そこで、末より本に帰り、本をおさえて、「信のなき事を悪きと仰せられる」のである。

蓮如上人がある時、ある人に向かって「お前は、言語道断悪い」と仰せられた。そこでその人が「何事でも上人の御意（ぎょい）のままに致しますから、仰せ下さいませ。何処が悪うございましょうか」とお尋ね申すと、

「ふつと悪きなり、信のなきは悪くはなきか」

と仰せられた。「ふっと」という言葉は「都て（すべて）」又は「尽く（ことごとく）」ということである。「何処が悪いというよりも、一切が悪い、都てが悪い。信のないのが悪い」と仰せられたのである。信は都て（すべて）である。

信心は如来の大心海そのままの至上善であり、凡夫の心は悪そのものである。たとえ、善であっても有漏善（うろぜん）とて、煩悩そのものを雑入混入せるものであり、随縁（ずいえん）の雑善（ぞうぜん）とて、長続きのするものではない。その不善雑悪（ぞうあく）の心に、まごころを回向して、末通る信心を成就して下さるのである。

『御文章』には、

「仏心と凡心と一つになるところをさして信心獲得の行者とはいふなり」（二ノ九）

（島地二九—一二三、西一一二三、東七八七）

と言い、又、

「更に一念も本願を疑ふ心なければ辱くもその心を如来のよく知ろしめして、既に行者の悪き心を如来のよき御心と同じものになしたまふなり　この謂をもて『仏心と凡心と一体になる』といへるはこの意なり」（二ノ十）

（島地二九—一二三、西一一二四、東七八八）

と仰せられ、又、

「信心といへる二字をば『まことのこころ』と訓めるなり『まことのこころ』といふは行者のわろき自力のこころにては助からず、如来の他力のよきこころにてたすかるが故に『まことのこころ』とは申すなり」（一ノ十五）（島地二九—一二三、西一一〇六、東七七六）

とお説きになった。これ皆、信心を信の文字の本訓にしたがい、お説き下さったものであって、信心は、如来回向の真実心たることを示されたものである。

信心は、あかき真実である。偽らざるまごころである。

如来はこのまごころを回向して、衆生の心を成就したもうのである。そしてそれはやがてお念仏となって相続して下さるのである。

「信をとらぬによりて悪きぞ、ただ信をとれ」

信心がなければ都(すべ)てが悪い。一切が悪い、言語道断悪いと言われるみ心のほどが、わからせていただける。まごころを持たないということは、一、二悪いということとは違って一切が悪いことである。

信心のない人は油断がならぬ。今は親しいようでも、何時(いつ)どうかわるか、煩悩の相は、空ゆく雲と変わりはない。善の相も一瞬にして悪となり、愛も、たちまち憎となる。善悪を越え、愛憎を越えたもう太陽、永遠の慧日(えにち)、それに根ざす信心だけが、変わる世に変わらぬたった一つのものである。

信心は、部分我の事実（随縁(ずいえん)の雑善(ぞうぜん)）ではなくて、全我の相である。であるから、信心の曇りは全我の曇りである。信心の淳一(じゅんいつ)は全我の淳一である。

信がないということは一切を失っていることである。極悪であることである。大患(たいかん)であることである。

五　第一義の問題

人生とは

「人生とは」と問われたら、私は何時も「教化（きょうけ）である」と答えて来た。

動物の集団と、人間の社会との相違は、かかって教化の有無にあるが故に、教化のない社会が、動物本能のまる出しや、悪逆の罪業そのままであることは当然のことである。

真実の教化がない世界では、人は必ず悪い教育を受ける。人生に動物の世界よりもっと悪い一面を持つのはそのためである。尊い人、智慧のある人、道の人は必ず正しい教育から生まれた。であるから、聖人が教えを何よりも問題とせられ、教えを、虚偽と、権仮（ごんけ）と、真実との三つに分けられたことは、誠に当然のことである。

人生において真剣に生きることを考えたほどのお方は、皆、身を以て、衷心（ちゅうしん）の願いとして、教えを求め、教えを聞き、全我を挙げ、一生を貫いて教えに生きられた方であった。

生まれた日のある我等は死なねばならない日がある。何時それが来るかしれない。それを思う時、厳粛な声として如来聖人の教えがせまって来る。もとより我らは微粒大の存在ではあるが、たった一つみ教えに生きさせて頂くということだけは許されている。有難いことである。

妻子の勧化

「わが妻子ほど不便なることなし、それを勧化せぬは浅間しき事なり、宿善なくば力なし。我が身を一つ勧化せぬ者があるべきか」（『蓮如上人御一代記聞書』）

（島地三〇―一一、西一二五二、東八六七）

「わが妻子ほど不便なることなし」。わが妻子ほど我に近いものはなく、可愛いものは外にない。その一番不便なる妻子を「それを勧化せぬは浅間しき事なり」。誠にお言葉通りである。世間の人を教化し、勧化するかに見える人が、自分の妻子を勧化せぬならば、そこには必ず、その人の胸中に何か清算されぬものが残っているであろう。

しかし如何に勧化しようとしても、泥に灸をすえるが如く、教えに対して感ずる心が少しもなく、聞こうとする願いがおこって来ない「無宿善の機」は、如何とも出来ない。そこで「宿善なくば力なし」と言われるのである。

世には、無宿善の家内を持って泣いている人がある。しかし、自らは道に生ききりつつしかも、家族に道ならぬ悪人を持つ人であるならば、家内を勧化せられないことによって、少しもその徳を滅ぼすことなく、その人自身の光がいよいよ輝くであろう。その人は妻子に対して無関心であるのではなく、そこには悲痛な願が動いているが故である。

しかしながら、妻子を勧化する以前に、「我が身を一つ勧化せぬ者があるべきか」。誠に至言（しげん）というべきである。有難い手厳しいみ教えである。我が身を勧化せぬものは、我を真実の人生の外に隔離するものである。

我が身を一つ

社会を問題とし、他人を問題にし、人を教え、人を導く前に、我が身一つが果たして導かれているであろうか、教えられているであろうか。全てが問題となったその最後に、自分だけが残されてはいないであろうか。妻子を教え導き、これを直そうとする人はあっても、自らを勧化する人は少ないであろう。厳粛に自らの問題を問題とし、消すことの出来ない衷心の願いを願いとしてのみ、そこに宗教がある。

自分自身をどうするか。解決のついていない自分、救われていない自分、生死の巌頭（がんとう）に立てる自分、見れば見るだけ愚悪である自分、その全体としての自分をどうすればいいか。こうした問題、即ち第一義の問題に対して、根本的な答えがほしい。これが即ち生死の問題であり、いわゆる後生（ごしょう）の問題と言われるものである。

「我が身を一つ勧化」するとは、この第一義の問題に対して、真実の解決を得ることである。しかしてかかる第一義の問題に対して、真の解決を与えて下さるものは、真実の教えである。真実の教えを領解（りょうげ）した相は信心である。であるから「我が身を一つ勧化する」とは、信心獲（ぎゃく）得（とく）することである。蓮如上人が御一代の間「信をとれ信をとれ」と叫ばれたのもこの所以である。

悲しきは

信心獲得の世界は、人がその一生において一番真面目になった時である。自己及び人生の偽らざる真相にさめ、真実中の真実が、胸にせまり、捨つべき一切を捨て、滅ぶべき全てを滅ぼして、その本然（ほんぜん）の相に立ちかえった世界において開けるものが即ち信心である。

自力我慢がものを言っている世界では、受け取らねばならぬ忠言も教えも、全てはねかえして、顚倒（てんどう）妄想の我をおしきって、あやまれる自己をどこまでも実現してゆこうとする。でないものは、あの声この声、四方八方の声を聞き入れて、全てからお褒めを頂こうとするが故に、名利の為の七面鳥となって、人生から抽象的になって生ききった香（にお）いをかぐことが出来なくなる。

信心の世界はそのいずれをも出された世界である。

「蓮如上人仰せられ候　『一向に不信の由申さるる人はよく候　言葉にて安心の通り申し候うて口には同じ如くにて紛れて空しくなるべき人を悲しく覚え候ふ由』仰せられ候ふなり」（『蓮如上人御一代記聞書』）（島地三〇―一二、西一二五五、東八六九）

「慶聞坊のいはれ候　『信は無くて紛れ回ると日に日に地獄がちかくなる、紛れ回るがあらはれば地獄が近くなるなり』『うち見は信・不信見えず候　遠くいのちを持たずして今日ばかりと思へ』と、古き志の人申され候」（同前）（島地三〇―一一、西一二五三、東八六七）

悲しいことながら、この御言葉の真実であることを見せつけられることである。これこそ真実の信心に最も遠いことである。青年の人や一向不信の人は、心に納得の行くまでは手も合わせない。御名も称えない。しかるに、口には御名を称え手には珠数を持ち、如何にも殊勝そうに見えていて今日一日を紛れてゆく人が一番困った人である。それが更に劫（こう）を経ると、人前だけの仏法者となり心の胸奥には、久遠劫来の病巣があり、膿血（うみち）が一ぱい充満しているのに、表だけを包んでゆく、哀れな存在となるのである。

信心の世界

間違える人は、信心の世界において、人間の第一義の問題を捨てることだと思う。信心の世界は第一義の問題を捨てるのでなくて受け取るのである。安価なる一朝の感激に、第一義の問題を葬ってしまうことではなくて、永遠に第一義の問題において生きさせて頂くことである。宗教の世界の真実性がそこにある。人生の問題をよそに見ず、己の問題をごまかさず、怖めず臆せず、我が真相に直面しつつ、真実の教えを聞くままに開けて来る世界に帰入してゆくのである。

「誰の輩も『我はわろき』と思う者一人としてもあるべからず　これ併しながら聖人の御罰を蒙りたるすがたなり　これによりて一人づつも心中を翻さずば永き世泥犁に深く沈むべきものなり　是といふも何事ぞなれば、真実に仏法の底を知らざる故なり」（同前）

（島地三〇―一〇、西一二五〇、東八六六）

心中を翻すことはただ真実の教えの徹底によるのである。真実教によらずしてどうして「真実に仏法の底」が知られよう。「我はわろき」と思わぬのも、教えのメス徹底せずして、胸底深く隠れたる自力我慢の心が砕けつくさない為である。心の底を打ちぬかれて、久遠の大海水に通ずるのでなければ、自然法爾の念仏の噴水が湧き出づることは出来ないのである。地獄、餓鬼、畜生を超え、善趣門を開いて頂くためにせっかく教法の園に入りつつ、大信成就せぬことは悲しむべきことである。

「一。『皆人のまことの信は更になし、ものしりがほの風情にてこそ』近松殿の堺へ御下向のとき長押におして・おかせられ候　『後にてこの意を想ひ出し候へ』と御掟なり　光応

寺殿の御不審なり『ものしり顔』とは『我は心得たり』と思ふがこの心なり」（同前）
（島地三〇―一〇、西一二五一、東八六六）

念仏生活にして、如来本願の真実と相応せざれば、必ず名利と相応す。名利と相応すれば、往生の大道を失い、雑毒（ぞうどく）海に漂没（ひょうもつ）して、無上菩提の道はもちろんのこと、真実の人となる道もまた止まってしまうであろう。自覚を通して深山の杉のごとくあれ。第一義の問題に終始して、永遠の聞法求道者たれ。「得たりと思うは得ざるなり」と。

六　信仰は生活であるということ

「信仰は生活である」ということがよく言われる。

確かに宗教は、人間の一番深い生活を願求し、それを成就しようとする営みである。それに対して異論はないが、しかしこの「信仰は生活である」という言葉の中には、非常に心を用うべきものがあるようである。以下これについて考えてゆきたい。

街には、三百六十五日寺参りを仕事にしている老人がある。にもかかわらず、「悪人でございます」というのは、お説教の時だけで、家に帰れば、悪人どころか、人を裁き人を苦しめる大将であるような場合に、家のものに言わせると、宗教は生活であるはずだ、うちの婆さんの念仏はなっていないと言う。もっとものことである。

後生(ごしょう)の問題といえば、この世の問題ではないことにし、生死(しょうじ)の一大事といえば、死んだ先のことだけだと考える。悪人正機(あくにんしょうき)といえば、悪人でもない者がこの身このままと言い、邪慳(じゃけん)をつけば、これがやめられるようなら他力はいらないという。嫁いじめの評判者の老婆があって、誰かがそれに向かって忠告すると、こういう悪人がお目あてだと逸(そ)れる。あわれ超世無上の本願も、勝手な言い訳の道具となる。念仏は生活でなければならない。

表では、「無我の、報謝の」と、美しいものによって装われつつ、裏では営利会社よりも醜いものがものを言い、聖なるものによって、人間の醜いものを満たそうとする。そうしたことの数々を見ねばならぬことは悲しいことである。確かに宗教は身を以て生活される、生きた事実でなくてはならない。

しかし「信仰は生活である」ということが、あまりに素朴的に考えられて来ると、そこにもまた、考えなくてはならぬ問題が生まれて来る。

宗教は生活実践ではあるが、生活実践が必ずしも真実の宗教ではない、と私は言う。何故であるか。人間は必ず、目的をもって動くものである、しかるに、ただ単に働くこと動くことの上に、直ちに真実を肯定するということは、人間の深い自覚への障碍となるが故である。

ここにある程度に、仏教を聞いた人がある。その男が、仏教は生活であるとて、聞法に時を費やす人を嘲笑して、日々営々として働いている。しかるに、その男がもって生活だと肯定しているものをよく見詰むれば、彼は順境の波に乗って、貪欲の心のままに、金儲けに奔走しているに過ぎない。彼は彼の腹の底に潜む、貪欲の悪魔を見出してはいない。彼の生活とは彼個人の成功のことに外ならない。「宗教は生活である」と彼が言えば言うほど、変なものになる。

世には、「天職と考えて」という言葉がある。教育が天職であるとか、医師が天職であるとか言われる場合である。まことに言葉の如くであれば結構であるが、果たして言葉の如くなっているであろうか、学校の校長である場合には相当の人であったものが、一度、恩給を取って引退した場合に、そこに裸にしても立派な人が立っているであろうか。教育者であるより先に、ほんとうの人になれ、というのが私の持言であるが、教師ではあっても人ではない、その時果たしてほんとうの教師であろうか。

人とは、自覚である。その内に充実した内荘厳のことである。

手軽く実践と外に跳る前に、内に限りなく培うこと、利他の前に自利、教人信の前に自信、教える人である前に習う人、たとえ五十歳になっても、児童の如く、求める人でなくてはならない。

釈尊の仏陀としての人格は、仏像が示すが如く、万徳円備（まんとくえんび）の絶対人格ではあるが、その内心には一人の童子があって生きている。すなわち華厳の善財童子（ぜんざいどうじ）がそれである。合掌して五十三人の善知識より善知識のもとに走る善財童子こそは、釈尊の人格のうちに生きる永遠の童魂（どうこん）でなければならない。

「開三顕一（かいさんけんいち）」とて、法一機一、一因一果の大乗を顕さんとする『法華経』において、これを解釈せられた聖徳太子の義疏（ぎしょ）に、「如是我聞（にょぜがもん）」を説いて「外道（げどう）の我自然に知る之過に異なることを表す」と仰せられた。

外道の善は、自然に知ることを尊び、仏法は、真実の教法に値（あ）い、それを聞信して成就した人でなければこれを問題にしない。限りなく真実に文化を進展せしめてゆく、不退転の世界の生まれる理由がそこにある。

同一の教法（きょうぼう）、その教法が顕す同一の行、同一の大行（たいぎょう）を受け取る同一の信、それからおこる同一の証果（しょうか）、そこにのみ、法一機一、一因一果の一乗海（いちじょうかい）、大乗の世界が開けるのである。

かかる一の世界は、人間が持って生まれた、いわゆる生得（しょうとく）の機の、雑善（ぞうぜん）によって成就するのではない。生得の機に立つことを小我（しょうが）といい、自力と言われるのである。そこには、相対（そうたい）善（ぜん）しか生まれては来ない。この相対善の世界では、十法百機、千因万果、ついに、一の世界を離れて、流転輪廻より外ないであろう。

かかる世界にとどまりつつ、信仰は生活である等と、うそぶく時、自損損他（じそんそんた）より外にないであろう。

時にこうした人がある。昨日今日、仏法を聞きはじめただけの人にして、あるいは長年に亙っていい加減に聞いた人にして、聞くみ法（のり）をみな、自分の過去の生活に持ってゆき、十年前の自分のあのやり方は教えの通りであった、あの事件の処理の仕方が先生の言う通りであった。僕の信念と共鳴するところが多いと、一一を取って自分の生活の正しかったことの証明にする人である。この人には、全否定ということがない。藁（わら）シベくらいな善を並べて、常に肯定から、肯定へ、と自分を肯定してゆく。その度ごとに自己修正を加えつつ、いまだ一度も道にそむかぬとし、それに宗教を結びつけてゆく人がある。こうした人の心の底に一貫するものは、名（みょう）利心（りしん）であって、本願の大信（だいしん）ではない。かくの如き人を、十九願の世界の人というのである、聖道自力のぬけない人、心の底に我執（がしゅう）があるのに光に遇（あ）わずして見えぬ人である。

「煩悩具足の凡夫・火宅無常の世界は万(よろず)の事みなもてそらごと・たわごと・真実(まこと)あること無きに、ただ念仏のみぞまことにて在(おわ)します」　（島地二三―一三、西八五三、東六四〇）

こうした聖人の大信心こそは、人間の雑毒虚仮(ぞうどくこけ)の善悪のすべてが、如来久遠の真実によって全否定せられて、全一なる大善(だいぜん)が、人格の本質として回向せられた、自覚の極限を示されたものである。

我らは、いささかの善の実行を鼻にかけた人よりも、悪人と目覚めて大地に合掌して念仏する人の方にゆかしき光と、ほのかなる尊き香を拝むのは、久遠の真実が、無我の信火を通してその人の上に全的に光るが故であろう。こうした真実の念仏行者は、宗教は生活であるとの言葉の前には沈黙して深い反省や懺悔(さんげ)を持つであろう。そして、内に悪を知れば知るだけ、衆生の業障(ごっしょう)を救いたもう大悲の深重(じんじゅう)を仰ぎはするが、自らの生活が生きている等とは自惚(うぬぼ)れないであろう。宗教は生活でなければならない。しかし真実に自己を知る限り、我は真実の生活であるとは言えない。聖人の、

「誠に知んぬ　悲しき哉(かな)、愚禿鸞(ぐとくらん)、愛欲の広海に沈没(ちんもつ)し、名利(みょうり)の大山(だいせん)に迷惑して、定聚(じょうじゅ)之(の)数(かず)に入ることを喜ばず　真証(しんしょう)の証に近(ちかづ)くことを快(たのし)まず　恥(は)づ可(べ)し傷(いた)む可し矣」
（島地一二一―九三、西二六六、東二五一）

との御悲歎は、決して、宗教は生活である、しかして我はその宗教の生活であるというが如く、

高上がりした者の声ではない。けれどもそれは、如来の大悲を疑うのではない。あるがままの貪瞋のうちに、深く深く大悲本願はくい入って、摂取回向の真心は、念仏となって流出していたもうのである。されば、聖人は、

「慶しき哉　心を弘誓之仏地に樹て　念を難思之法海に流す　深く如来の矜哀を知りて
良に師教の恩厚を仰ぐ　慶喜彌至り　至孝彌重し」

（島地一二―一二四、西四七三、東四〇〇）

と嘆じられた。

如来の本願は衆生の今の一心の上に回向せられている。この如来回向の一心こそ、衆生を根本から生かして下さる大悲の真実である。この大悲の真実は、火の炭におこりつきたるが如く、衆生を正定聚の菩薩たらしめるものである。宗教は生活であるということは、宗教は如来回向の生活であるということである。そこに信知せられるものは、「如来の矜哀」であり「良に師教の恩厚」である。「慶喜彌至り、至孝彌重し」永遠に、報恩謝徳の生活を念仏のうちに成就させて頂く。大地に五体投地して、久遠の真実一乗に全我を托して生きること、これ宗教生活の全てである。誤って人間の虚仮の雑善の筏に乗って、安価なる自己肯定の自力に安住するなかれ。必ず、波浪汝を呑まん。

七　真実を聞く心

如来の正覚は説法の大音となって十方世界に響流する。それを聞くものは法蔵の願心である。

「正覚大音。響流十方」。これは、法蔵菩薩が師仏世自在王の口業功徳を讃嘆せられたみ言である。仏の口業功徳に対するこれ以上の讃嘆の言葉はないのである。

正覚の大音、大声というのは、あながちに声が大きいということではない。如来のみ声は、これを近く聞いても大きくなく、遠く聞いても小さくないとは、意味深いことである。声の大きいのが大音ではない。声の小さいのが小音ではない。

正覚、正しい覚りから出た智慧、その無限の智慧から生まれる言葉であるがゆえに大音といわれるのである。正しい言葉は、声は小さくても響くし、よこしまな声は、仮に、どんな拡声器を備えつけたとて、遠くは響かない。その場限りで消えてしまう。

「正しいことが言いたい」。人は心の奥底には、静かにこうした願いを持っているようである。

多く語るより能弁に語るより正しいことが語りたい。それを意識するとしないとにかかわらず、万人の願いではあるまいか。

親鸞聖人は「天親菩薩の言には」と、言の字を「みこと」とお読みになった。仰信の意からかく仰せられたのである。

人は正しい言葉を出したい前に、正しいことが聞きたいのである。「正しい意味を聞かねばならぬ」。これは「正しいことが言いたい」よりも、もっと根本的な願いであろう。正しいことを言おうとするのが聖道門的であるならば、正しいことをあきらかに聞こうとするのが浄土門である。正しいことを聞かずにおいて、どうして正しいことが言われよう。

正しいことは人の賞讃を博する。そこでそれが一歩堕落すると、いかにして人を感心せしめ、人を動かし、人の賞讃を博するかに腐心し始める。孔子のいわゆる「好言令色鮮矣仁」の世界がそこにある。「鮮し」とは皆無のことである。ただ聖人の言は切迫をさけたのである。

だが凡夫の悲しさ、この堕落の闇路をたどっていないものがいるであろうか。正しく言おうとするその下から、既に「奸詐百端」恐るべき毒蛇が鎌首をもたげている。正しく言おうと心がけてもすでにそれである。何らの内観なく、懺悔なく、色を造り、言葉を飾りて、ただこれ人の賞讃を求め、やがて一時の扇動のためなどに声をからすならば、堕落これよりはなはだしきはないであろう。法を説くものの堕落がそこにある。言葉の尺度を、自分の迷える心におき、相手の好悪（こうお）の上において、その効果を賞讃の上に見ようとする。低空飛行を続けていてもやがて生死の海に没入するであろう。世には「日本一」の称号を愚衆に得つつ、識者に笑われている説教者の何と多きことか。「話術」に苦心して自らの心を省みようとしないがゆえである。

地味でもいい、とつ弁でもいい、正しく語らねばならない。正しい言葉は必ず人の心に残る。正しく語る前に、正しい教えの言を聞かねばならぬ。真実教がそこに待っていてくださる。

宗教は宣伝にあるのではない。聞くことにあるのである。ただ聞くだけ、真に聞くだけ、それはやがて、なんじを養い、なんじに大信（だいしん）となって充満して、ついに口からあふれて来るであろう。そこに信より流出する言葉がある。念仏がそれである。「念仏のみぞ真実（まこと）におわします」とは、誠に底なき不滅の真実である。

唯一の真実の言が、心に響かない。それはまことに、恐るべきものを内に持っているがゆえである。邪見といわれ、自力といわれて、疑惑と呼ばれ、やがてついに「我」といわれる。

この自力我慢の前には、正覚の大音も何らの響きを持たぬ。ただ大音の如く響いて来るものは、自分に都合のよい声、賞讃名利の声のみである。
しかし真実の声がやがて耳に入り初めるに至って「忠言は耳に逆らい、良薬は口に苦い」であろう。けれどもなお、それを聞き続けるに至って、御本典のいわゆる「欲願愛悦之心」とて、真実教より外に願うものも欲するものも愛楽するものもないに至るであろう。そこに本願の「信楽」の世界がある。

世間の声では、涙一滴落とさぬ大の男が、大地に合掌して「ありがとうございます」と、涙のうちに、信順している様の尊さ。ここに至って、真実の教えは、いっさいの雑音を封じて、三千世界に響き、響く大音として受け取られるのである。

一。『往生論』には、三種荘厳二十九種中に二度もこの声の功徳荘厳が説かれてある。すなわち国土荘厳十七種中には、荘厳妙声功徳成就とて、「梵声悟深遠（梵声の悟らしむること深遠なり）微妙聞十方（微妙にして十方に聞こゆ）」と讃嘆し、また仏荘厳八種中には、荘厳口業功徳成就として、「如来微妙声（如来微妙の声）梵響聞十方（梵の響き十方に聞こゆ）」と示されている。如来浄土はもとより依報正報不二であるがゆえに、如来の声は浄土の声、浄土の声は如来の声である。

これ皆、本仏の聖なる声を、梵声と言われたのであり、「聞十方」と示されたのである。現実生死界に応現する世尊の声が、正覚大音、響流十方と、十方世界に響流する普遍の声となるのは、本地法身の梵声が、正覚大音の内容となるからである。すなわち、正覚の大音とは永遠の本願名号を説かれるがゆえである。如来浄土の声は、現実の世尊の声の奥の声、すなわち、声の声である。浄土の梵声は、十方恒沙の諸仏の上に聞かれるのである。しかしてそれが微妙といわれるのは、よく衆生を開悟せしむるがゆえである。

生死の声、煩悩の声は、人を外へ外へと引き回して輪廻せしめ、浄土の声は、衆生を内に覚ましめて開悟せしめる。真実から流れ出た真実の言だからである。

この真実なる教えの聞こえないところには仏道はない。

真実の言、真実の教えは、そのまま如来の梵声、浄土の梵声である。されば釈には、

「此は是れ国土の名字仏事を為す、安ぞ思議す可けんや」

（島地一二―一一九、西三〇九、東二八一）

と仰せられた。浄土の名字は、名声のないところに仏事はない。裏返していえば、いかにささやかに見えても、尊い仏事のなされているところには必ず浄土の声が訪れていて下さる。浄土の声、浄土のみ名においてでなくては仏事はない。

浄土の声は真実である。したがって真の仏事は、それが路傍で二、三人の人によっての立ち話であろうと、一人いての念仏であろうと、この世に回向せられる真実そのものを内容とする。

真実を語ろうとする前に、真実を行じようとする前に、沈黙して正覚の大音を聞くべきである。出世の本懐に満たされるであろう。

八　この金言に依りて

一。我らが本部の年末は、まことに有難いものであった。そして、我らの年頭は、いよいよ有難くも尊いものによって荘厳（しょうごん）された。私は多くの同胞から「本年ほど有難い年を迎えさせて頂いたことがない」との嬉しいお便りを受け取った。我らが行歩（ぎょうほ）の真の力は、そこに恵まれる。そうしてかかる感謝と力とは、ただ、真実なる教法より生まれることを思うた時、いよいよ正法（しょうぼう）に忠実に生きねばならぬ。我らのこの歩みが、世にもし存在せしめられる理由がありとすれば、それは唯、正法に忠実なることの為のみである。我らは正法に忠実であらねばならぬ。大法（だいほう）に生きるに本気でなければならぬ。

一。偶然にも、本部に於ける大晦日と元旦の法話は、『蓮如上人御一代記聞書』の二〇一章、

「一。前住上人（実如上人のこと）、先年大永三、蓮如上人二十五年の三月始比、御夢御覧候　御堂上壇南の方に前々住上人御座候うて紫の御小袖を召され候　前住上人へ対しまいらせられ仰せられ候　『仏法は讃嘆・談合にきはまる、よくよく讃嘆すべき』由仰せられ候　『誠に夢想ともいふべきことなり』と仰せられ候ひき　然ればその年殊に讃嘆を肝要と仰せられ候　それに付いて仰せられ候ふは『仏法は一人居て悦ぶ法なり、一人居てさへ尊きに、まして二人より合はばいかほどありがたかるべき　仏法をばただ寄合寄合談合申せ』の由仰せられ候ふなり」（島地三〇―二九、西一二九五、東八九一）

年末年始にこの章について頂くようになったことは、誠に不可思議の因縁である。よって「この年殊に讃嘆を肝要」とすることである。

「仏法は讃嘆・談合にきはまる」

仰の通りである。仏法の聖火は、無我の仰信、歓喜の念仏、衷心より身を以て、讃嘆する人によってのみ弘められる。

一。仏法を讃嘆・談合すれば、七つの徳がある。一には聴聞の誤りを知る。二には未聞の法を聞く。三にはいよいよ明了堅固となる。四には報謝の情を増す。五には互いに心中を知る。

六には己が懈怠を改むる縁となる。七には教人信となる。つまり自利利他の徳、自信教人信のいわれである。

一。「仏法は一人居て悦ぶ法なり」

有難い人たちの中で、さも得たるが如く連節でゴマ化すことも出来よう。多くの人に説法することも出来よう、しかし、一人居て真に悦ぶことは、信なき限り不可能である。山の中でも、電車の中でも、一人悦び得たか。偽ることの出来ない審判である。「仏法は一人居て悦ぶ法なり」自分に問うて見るがいい。ほんとうに得たものは、一人いて悦ぶ。金を得ても、名誉を得ても、何を得ても真に得たものは一人いて悦ぶ。永遠の大道また然りである。「道を獲て一人悦ぶ」この人こそ、世の光である。この人においてのみ、

「一人居てさへ尊きに、まして二人より合はばいかほどありがたかるべき」

という世界が現われて来る。

されど不信の人も、この讃嘆の席に出て、自分の全てを打ち出して聞くべきである。

「仏法の讃嘆などいふ時、一向に物を言はざること大なる違なり。仏法讃嘆とあらん時はいかにも心中を遺さず相互に信・不信の義談合申すべきこと也」（一九六章）

（島地三〇―一二八、西一二九三、東八九〇）

と仰せられる。

薪は三本集まれば三であり、五本よれば五である。もしそれに火が燃えれば、五も一であり、三もまた一である。人間の自力の心によれば、たとえ一つ世界にあるようでも、好があれば悪があり、愛があれば憎がある。懇親があれば隔執がある。愛憎を超え、隔親を超え、好悪を超えて、如来浄土の聖火に燃えるところに、真に念仏讃嘆の世界がある。信の火は此の世のものではない。この聖なる信火より発る讃嘆もこの世のものではない。彼岸のものが、大悲本願によって、生死海のものとなって下さるのである。そこに、回向の宗教、念仏の世界がある。

「『仏法は讃嘆・談合にきはまる、よくよく讃嘆すべき』由仰せられ候」

この無量寿の聖火のみが、一貫して燃える。人間のものは無常虚仮であるが故に続かない。たとえ、一時続くも、続けば続くだけ苦悩を増す。誰でも彼でも、一つに融けて、一徳一心になり得るのは、大悲にとかされた世界のみである。この一如の世界にのみ、人は人から手を離して合掌したままが、一なる世界にあらしめられる。

「仏法は讃嘆・談合にきはまる」

「自信教人信の道理也と仰せられ候ふ事」（『蓮如上人御一代記聞書』）

「一、聖教（しょうぎょう）よみの仏法を申したてたる事はなく候　尼入道（あまにゅうどう）のたぐひの『たふとやありがたや』と申され候ふを聞きては人が信をとる、と前々住上人仰せられ候ふ由に候・何も知らねども、仏の加備力（かびりき）の故に、尼入道などの喜ばるるを聞きては、人も信をとるなり……」（九五章）　（島地三〇―一五、西一二六二、東八七三）

まことに金言である。讃嘆者のみ、徳の花の栽培者である。自信のみが教人信の徳をもつ。讃嘆。讃嘆。「仏法は讃嘆・談合にきはまる！」

私はこの一句の金言そのままの人を知る。有難くも尊くもこの人のましますを拝む。そしてこの遇（あ）い難き二千六百年の歳が、この人たちによっていよいよ道義日本を荘厳して下さることを信ずる。我らの行歩は、この金言によって進められて行くであろう。「仏法は讃嘆・談合にきはまる」。南無阿弥陀仏。

第五章　如来本願の真意

他力本願の世界において、自力は許すべからざる本罪である。
自力とは、広大なる仏智を知らず、無蓋の大慈悲と一体とならず、
疑惑をもって生きることである。
本仏に対する疑惑は、一切に対する疑惑である。
弥陀の本願に対する無明は一切に対する無明である。
如来に対する不徹底は、一切に対する不徹底である。

一　いらないこと

愚者

『百喩経』巻の第四に「比種田喩」というのがある。有名な喩えである。

「昔野人あり田里に来至す……一人の百姓が他処の田を見に行った。ところが麦が作ってあるが、大変によくできて茂っている。そこで、その田の持ち主に、どうすれば、こうもよくできるかと問うてみると、その主は答えた、『それは先ず、田をよく耕して土を小さくし、柔らかにして後よく地面をならすことが第一だ、それに、しかじかの肥料をやって、種を下したらよい』と教えた。そこで愚かな男は、帰って来て、その通りを実行しはじめたが、さて種を播くに当たって困ったことができた。こうもきれいにならした田地の上を踏まねば播かれない、それは惜しいことだ。地を踏み固めたら麦が出来ない。しかしその土地を歩かないでは播かれない。考えぬいたあげく、一つの籠を造り四人の男にこれを輿せて、種を播いた。そこで自分の二本の足は土を踏まないですんだが、そのかわりに大男の八本の足が踏みかためた為に土地は大変固くなった。世の人たちは、その男の愚かさを笑ったが、その人は知らない……」
というのである。

八本の足

我等は悲しくも、この喩えの前に笑われないと思う。それはあまりに、八本の足によって、踏みたたいて行く、いらぬことが多いが故である。

静かに、自分の生き方について考えようではないか、二本の足跡をつけることを恐れて、八本の足跡をつけてきたことの多いこと、この愚かな男のあり様が、そのまま自分ではないか。書斎に入って見ると、いらぬ書物で埋まってはいないか。いらぬ勉強で時を費やし通したのではないか。

ある会社に大変な勉強家があった、彼は、独学で今日の地位を獲た。彼は勉強をやめない。しかし彼が勉強すればするほど、皆の者と仲が悪くなり、その男を中心に、その会社の内部には風波が絶えない。これでは彼のしていることは、勉学ではなくて「いらぬこと」であったのだ。

人に敗けまい、他に勝れようとの勝他（しょうた）の心、名聞（みょうもん）の心でしたことは、いらぬことに属する。時に自分だけが、自己をあやまるのみならず、百世に人をあやまらせる大原因とさえなる。か

の『口伝鈔』第九章の、

「法師には三の髻あり、いわゆる勝他・利養・名聞これなり　この三箇年のあひだ源空が述ぶる所の法門を記しあつめて随身す、本国に下りて人を虐げんとす、これ勝他にあらずや、其につけて善き学生といはれんと思ふ、これ名聞をねがふ所なり、よりて檀越をのぞむこと所詮利養のためなり、云々」

（島地二五―一一、西八八九、東六六一）

これは法然上人の聖光房に対するお叱りである。

「終に仰せをさしおきて口伝に背きたる諸行往生の自義を骨張して、自障障他すること、祖師の遺訓を忘れ諸天の冥慮を憚らざるにやと覚ゆ、悲しむべし畏るべし」

（島地二五―一一、西八九〇、東六六一）

小賢しき才智によって、三つの髻を知らず、いらぬ勉学によって、自損損他するもの、決して聖光房だけではあるまい。悲しむべし。畏るべし。

「いまの世には『学問して人の謗をやめん、ひとへに論義問答旨とせん』とかまへられ候ふにや　学問せばいよいよ如来のご本意を知り悲願の広大の旨をも存知して、『いやしからん身にて往生はいかが』なんど危ぶまん人にも、本願には善悪・浄穢なきおもむきを説き聞かせられ候はばこそ学生の甲斐にても候らはめ……」（『歎異抄』）

（島地二三―六、西八四一、東六三二）

仏教を学んでいよいよ大悲本願に遠ざかり、「諍論のところにはもろもろの煩悩おこる。智者遠離すべきよしの証文」（『歎異抄』）を忘れて、憍慢の種とするものは、学んだというものでなく、「いらぬこと」をしたのである。八本の足で福田を荒らしたのである。

田

仏法においては、父母を恩田といい、仏法を福田という。父母なければ、所生の縁なく、その恩養なくば今日の我はないが故である。しかして、仏法僧の三宝のおかげによって、今日のこの信心歓喜を獲、幸福を獲、生死を解脱するの福智蔵を得るもの、みな三宝のおかげであるが故に、これを福田と言うのである。

しかるに、五逆誹謗正法の悪衆生は、父を殺し、母を殺して恩田に背き、阿羅漢即ち聖者を殺し、仏身より血を流し、和合僧を破る等によって、福田にそむく者である。「善知識をおろかに思い、師をそしる者をば謗法の者と申すなり」。五逆罪とは、恩田、福田に反逆するもののことである。八本の足によって恩田、福田を蹂躙するものである。

恩田福田には合掌によって入るべきである。我慢の下駄ばきによって、家に入り、寺に入って、夫を子を妻を、祖先を、そしてついに久遠の本仏を足げにかけて、無慚無愧なること、恐るべし、恐るべし。仏の智慧光によって、わが相を内観し、慚愧合掌して、恩田、福田に帰すべきである。

二本の足

二本の足、朝から晩まで、一日として、この二本の足を使わないですむ日はない。したがって、二本の足の足跡をつけないですむ日はない。生まれてから死ぬるまで、この二本の足のつけたあと、歩いたあと、どこをすぎたか、どこにいるか、どこへ行こうとするか。そしてどんな跡をつけたのか。厳粛に考えた時、凝視（みつめ）た時、何がその内省のうちに生まれてくるだろうか。どうしても使わずには生きられない足、足あとをつけないでは種を播かれない田、二本の足をおそれて危ぶめば、八本の足跡のつく人生という田であることを思う時、どうにかせねばならない。どうにかせねば生きられない。必然の問題がそこにおこってくる。

両足尊

み仏のことを両足尊（りょうそくそん）という。

『法華玄賛（ほっけげんざん）』には、

「仏は、二足、多足、無足の一切中において尊しとす。今両足尊と云うは、三類中において両足を尊しと為す、能（よ）く道に入るが故に、謂く人天の類なり。仏また両足なるが故に両足尊と言う」

とある。であるから両足とは、両足、多足、無足の三類中で先ず一番尊いということである。何故に尊いかといえば、「能入道故」能く道に入るが故である。まこと、蛇や百足が孝を知り、慈悲を行ずるということはない。仏は、その両足中の最尊なるが故に、両足尊といわれるというのである。しかれば、何故に両足尊といわれるのであろうか。

『法華嘉祥疏』には、

「両足尊とは、あるいは戒定をもって二足となし、あるいは権実をもって二足となし、あるいは福慧をもって二足となす。これみな内徳の二足なり。外形には天と人とをもって二足と為す。仏はこれ天と人との二足の尊なり」

とある。すると、仏が両足尊といわれたもうのは、戒（正しい生活）定（正しい心）の二足があるためであり、あるいは、仏たる証の徳（実徳）と衆生済度の方便の徳（権徳）があるためであり、福慧として、絶対の幸福と、智慧の光とがあるためであり、あるいは又大法の領解と修行成就の足があるためである。しかれば、これらはすべて仏の「内徳之二足」のことであって、外の形をいうのではなかった。ここにおいて真実の足をつけるとは、内に徳を成就することである。内に徳を成就することより外に、足の問題の解決はなかったのである。

念仏道

我等衆生は、仏の如く尊き内徳の足を持たぬものである。とりわけて五濁の凡愚たる我等は、おそれても謹んでも、悪業のために引きまわされて、六道輪廻、特に、三塗（地獄、餓鬼、畜生の三つのみち）に走りこもうとするものである。しかるに、有難くも、如来の大悲本願は、われらに六字の足、大行の足を回向し、本願の白道を、ほそぼそながら歩むようにして下さった。み教えを聞きつつ釈迦、弥陀二尊の教命に信順して、念仏申すようにして下さったことは、何という有難いことであろうか。

一道

ただ、専ら一道を歩ませて頂かなくてはならない。もし、念仏一道を凝視て生きることを忘れた時、八本の足が人生を踏み固め、蹂躙っていてもわからないであろう。念仏の足跡、求道の足跡、信心歓喜の足跡がなくなる時、もう「いらないこと」に本気になって、自損損他の八本の自力の足跡が乱れついている。はっきりと念仏道を、教えのままに歩ませて頂く時、穢い煩悩の足跡さえ浄化せられるであろう。念仏すべきである。

「煩悩具足の凡夫・火宅無常の世界は万の事みなもてそらごと・たわごと・真実あること

無きに、ただ念仏のみぞまことにて在します」（『歎異抄』）

（島地二三一—一三、西八五三、東六四〇）

二　旅より家郷に来るもの

値うよろこび

聖人、行巻に法照禅師の『浄土五会念仏略法事儀讃』を引いてのたもう中にいわく、

『般舟三昧経』に依る。慈愍和尚

今日道場の諸衆等、恒沙曠劫より総て経来れり。
此の人身を度るに値遇し難し、喩えば優曇華の始めて開くが若し。
正に希に浄土の教を聞くに値へり、正に念仏法門の開くるに値へり、
正に弥陀の弘誓の喚びたまふに値へり、正に大衆信心ありて回するに値へり、
正に今日経に依りて讃ずるに値へり、正に契を上華台に結ぶに値へり、
正に道場に魔事無きに値へり、正に無病にして総て能く来るに値へり、

正に七日の功成就するに値へり、四十八願要ず相携ふ。

普く道場の同行の者に勧む、『努力回心して帰去来』。

借問ふ、『家郷何れの処にか在る』『極楽の池中七宝の台なり』。

彼の仏の因中に弘誓を立てたまへり、

『名を聞きて我を念ぜば総て迎へ来らしめん』と」（島地一二―二八、西一七三、東一八〇）

旅よりかえる

「今日道場ノ諸衆等、恒沙曠劫ヨリ総テヘ経来レリ」

道場――今日道場に奇しくも集える大衆よ。我らは今、道場にある。尊き大法を聞いて、如実に修行すべき、道場にある。

今にして知る、恒沙曠劫、久遠よりこのかた、遥かなる旅路に、六道輪廻して、苦悩つぶさに受け、総てを経てかえりきたったのである。

我らは今、聖会に来る！

我らは、聖会という聖会の度にこのことを如実に味わって来た。聖会には来るのではなくて、来るのである。聖人は特に「今日道場ノ諸衆等、恒沙曠劫ヨリ総テヘ経来レリ」と、来の字を「かえる」と読んで殊更に振り仮名をつけておいて下さった。我らは今、身を以て事実の上に、この聖語を頂くことの嬉しさ。

我らの同胞は、年幾回かの聖会に、恵まれ許されて来る日のあることを唯一の喜びとして、生きているのである。与えられた七日が如何に有難く尊いものであるか、そはただ我らのみが知ることである。

人身受け難し

「度二此人身一難二値遇一　喩若二優曇華始開一」

外に五欲のみに追い使われて、或いは幸を喜び、或いは不幸を泣いていた時はいざ知らず、永遠のみ親に召されて、道場に来たり、念仏する身になった時、私はいい国に生まれ、いい処に生まれさせて頂いたという、身の真実の幸が喜ばれることである。「この人身を度るに値遇し難し」。人身受け難し、今すでに受く、今人身を受けたことに喜びと驚きを感じないではいられない。人は正法に於て、人生を肯定された時だけ、人生はその人の為に真に光っているであろう。

浄土教を聞くに値う

「正値三希聞二浄土教一　正値二念仏法門開一」

我らは、遥かなる旅路より、道場聖会に来たって、『大無量寿経』真実の教えを聞くことが出来た。

世尊のみ教えに、七高僧の尊き教えに、しかして遂に、我が親鸞聖人のみ教えに値うことが出来た。

人生とは教化である。人生とは教である。教を聞かずば、人は禽獣にも劣る。教の深さは、人生の深さである。人生とは教である。人は真実の教によってのみ、その衷心の願を満足する。人はこの世には、み法を聞きに出されたのである。世尊聖人は、大法を説くを出世の本懐となしたまい、我らはこれを聞くを出世の本懐とする。

されど世に多くの教あり、聖人は、なべての教を、虚偽、権仮、真実の三つに分けたもうた。虚偽の教によって、虚偽の人生が生まれ、権仮（虚偽より真実への方便の教）の人は、進めば真実の世界に入り、退けば、虚偽の世界に逆転する。権仮の教にさまよう人に、不徹底なる人生がある。真実の教によって、真実の世界が開かれる。

「正に希に浄土の教を聞くに値へり」。希に、真に希に、浄土真実の教を聞くに値えり。真実なる哉、真実なる哉、大海の浜の砂の中に、一粒か二粒、見出せる宝玉の如し。希に、希に、真に希に。浄土の教を聞くに値える身、我奇しくも帰り来れるもの哉。これ全く、本仏大悲の善巧照育の力である。

「正に念仏法門の開くるに値へり」。念仏法門とは、真実教の人生に於ける具体化である。永遠に真実なる道の如来による実現である。久遠の理想、涅槃の楽の門は開かれたのである。堅く鎖されたる自力我慢の鉄の扉は自然に破られたのである。念仏法門とは、純粋道義の名、微塵の功利的な毒を混入せざる純粋道義は、如来の念仏に於て開かれたのである。

世にもし念仏に名を借ると雖も、浄土教を聞くが如くなるも、そこに人間の醜悪なる名利我執のみ動くならば、決して念仏の法門には非ず、浄土の教に非ず。しかも世を挙げて、濁流滔々。悲しむべし。傷むべし。懺悔慚愧、真に聞き、真に知り、五体投地して合掌回心すべし。

弥陀の弘誓

「正ニ値ヘリ弥陀ノ弘誓ノ喚ビタマフニ」

世尊、聖人の真実教は、聞其名号信心歓喜、全身を耳にしてこれを拝聴すべし。しかも、如来聖人の教は、そのまま久遠の本仏の名号を説きたもうもの、されば、真実教は、言々句々、本仏大悲の胸底より流れ出ずるもの、我らは、静かに教に聞いてかえってそこに、弥陀弘誓の招喚の声を聞く。釈迦、弥陀は二尊にして一体、一にして二、一は此岸に発遣し、一は彼岸に招喚す。一は教、一は命、しかも教をおいて命なく、命をおいて教なし。二尊の教命に信順する、これを大信という。大悲真実のみ親招喚したもう。この声、我を限りなく内に内にと帰らしめたまい、内観自証の一道をたどらしめたもう。この本仏の招喚に随順してのみ、教主世尊聖人も喜びたもう。教主は我に帰せよと仰せられず。我らは遥かなる旅路にあって、この久遠本仏、永遠のみ親の喚(よ)び声に覚(さ)め、一筋の白道(びゃくどう)あって開くを知るのである。大信心の世界がそこにある。

大衆

「正ニ値ヘリ二 大衆信心アリテ 回スルニ一」

聖会に来るものは必ず、そこに、大衆を発見する。

大衆に信心あって、尊くも回心懺悔して、本願海(ほんがんかい)に帰入するを発見する。これ我らの今日迄、聖会という聖会に拝んで来た、希有の尊高なる事実ではなかったか。

一人の人、問題を提(かか)げて、進んで解決を求め、やがて大悲彼に徹入し直入するや、五体投地して千古の疑団(ぎだん)氷解し、念仏懺悔して、本願海に回心帰入する時、会座の大衆は、一人残らず、涙し合掌して「正に大衆信心ありて回(え)するに値へり」と讃嘆(さんだん)した。このことに値うことによって、我を見、我を知り、信力(しんりき)増長するを感謝せずにはおられない。一人の問題は万人の問題、一人の真実の喜びは、万人の喜び、一人の悲しみは一切の悲しみである。普遍の大行(だいぎょう)、彼の上に顕現して、今新たに、等覚(とうがく)の人生まる。これを拝み、これに値うて喜ばざるものがあろうか。

契を結ぶ

「正値今日依経讃　正値結契上華台」

この道場に大衆あり、教主善知識は言うまでもなく、大衆は回心して大信心に入り、真実教そのままに、仏徳を、法徳を讃嘆する尊き空気に値うことが出来た。かかる世界が、あったことを今日まで知らざりしことの愚かさよ、恥ずかしさよ。

「正に契を上華台に値へり」。上華台とは、如来の蓮華座、如来絶対人格の王座、常住不滅にして、大楽、大我の大自在、清浄なる正覚華、この浄華こそ、一切の人格という人格の誕生する唯一の人格、人格の人格、この浄華より、如来浄土の無量の眷属を生みたもうのである。

「如来浄華の衆は、正覚の華より化生す」「同一に念仏して別の道なきが故に、遠く通ずるに夫れ四海之内皆兄弟と為すなり」（『教行信証』証巻）（島地一二一―一二〇、西三一〇、東二八二）これ正しく天親・曇鸞の領解であった。

人は、まず人生に於て真に孤独を感じないのも不真面目である。しかし何時までも、一人である者も生きるに忠実でない人である。愛によらず、憎によらず、懇親によらず、党派心によらず、利害によらずして、真に同胞たるを感ずる世界は、唯、この如来浄華台において、契りを結ぶにある。かくして我らの聖会をして、清浄ならしめよ。誠に純粋ならしめよ。噫、我らは、今、この尊き如来の内眷属としての大衆に値うことが出来たのである。

魔事と病なし

「正値道場無魔事　正値無病総能来」

人生は魔事に満つ、この魔事時に、道場聖会におしよせる。個人の上にも、道場にも、もし一の魔事があっても、聖会は成り立たないし、出られもしない。『大智度論』には、善知識は教えを諄々として説かんとするに、聞く者他事に心を奪われて、説教の短かからんことを求め、或いは聴衆は真剣に聞かんとするに、説者が他に心を取られて早く止めんとするさえ、これを魔事に教えられている。魔事八億四千。今日幸なる哉、「正に道場に魔事無きに値へり」。誠なる哉。真なる哉。ひとえに威神力によるとは言え、よくも道場に、魔事なきに値えたことである。

「正に無病にして総て能く来るに値へり」。魔事中の魔事は、病である。若し病気すればこの会座には出られない。大衆全て無病にして来ることが出来たのである。

功成就せり

「正値二七日功成就　四十八願要相携」

聖会は円満に開かれ、大衆一体となり、至心に精進し、如実に修行し、尊くも続けられ、満足に功成就する七日の聖会、その聖会にかくして今値うたのである。如来本願力の現行したもうままに聖会にもうおうたのである。「四十八願要ず相携ふ」。真実の道場、真実の聖会は、人間の煩悩の成就するものではない。それは唯如来本願がみ名において人生に実現したもうものである。

人間の雑毒海を混入して、聖会を汚すことを得ざれ。五体投地し、合掌恭敬して、其の名号を聞け、第十八願の他力大信心の成就する処、そこには、四十八願すべて生きたもう。四十八願中一願欠けても、本願は本願とはならない。四十八願要ず相携えて、今、大衆、如来第十八願の信心海に帰入して、この会座にあり。

「仏の本願力を観ずるに、遇うて空しく過ぐる者無し、能く速に功徳の大宝海を満足せ令む」　（島地一二一—一二五、西一五四、東一六七）

「言ふ所の『不虚作住持』とは、本法蔵菩薩の四十八願と、今日阿弥陀如来の自在神力とに依る　願以って力を成じ、力以って願を就す　願徒然ならず、力虚設ならず、力願相符

うて畢竟じて差はず、故に『成就』と曰ふ」（島地一二―四五、西一九八、東一九八）

功成就の処、そこに本願力あり、如来浄土の力を挙げて、我を人生に於て、この『大無量寿経』の会座にあらしめたもう。この座に坐せしめたもう以上の一大事因縁は、地上には遂に無いのであった。これ最大の光栄と知れ。恩徳と知れ。

勧励

「普勧道場同行者　努力回心帰去来」

普く道場の同行の者よ。この深広の恩徳を憶え。無意味に時を費す勿れ、努力、回心懺悔して本願海に入り、久遠の家郷さしていざいなん。六道つぶさにへたり、魔郷にとどまるべからず。噫、何たる大悲の言であろう。慈愛であろう。

家郷はいずこ

「借問家郷何処在　極楽池中七宝台」

念仏の子に家郷あり、これあるが故に、今日道場にあることすら、

「今日道場の諸衆等、恒沙曠劫より総て経来れり」

と言われるのである。念仏の子は、遥かなる無明の旅路より、み光の家郷本国にかえる。家郷

は何処（いずこ）、極楽池中、七宝荘厳（しょうごん）の大蓮華王座。「如来浄華の衆は、正覚の華より化生す」。浄華とは、即ち如来の正覚華、この浄華こそ、如来に於ては、正覚自利成就（しょうがくじりじょうじゅ）の絶対人格の王座であり、浄華衆と、無量の眷属を生ずる、大悲の心蓮華である。如来浄土の荘厳、本依正不二（もとえしょうふに）、正覚も蓮華に喩え、国土もまた蓮華を以て象徴す。極楽国土こそ真実の家郷。故に、億々（おくおく）の菩薩大士悉く（ことごとく）、一心に安楽国に願生したもうのである。

弘誓（ぐぜい）

「彼ノ仏ノ因中ニ立テタマヘリ弘誓ヲ　聞キテ名ヲ念ゼバ我ヲ総テ迎ヘ来ラシメント」

されど真実の親は、七宝の台（うてな）にありて、招喚して待つのみの親ではなかった。招く親は来たる。一切衆生を救わずば正覚取らじと誓いたもう如来は、生死海中に愛子を求めて来たりたもう。かの『観経』（かんぎょう）の下下品には、「十念を具足して南無阿弥陀仏と称せん、仏名を称するが故に念々の中に於て八十億劫の生死の罪を除き、命終（みょうじゅう）の時、金蓮華（こんれんげ）の猶（なお）し日輪の如くにしてその人の前に住するを見ん、一念の頃の如くに即ち極楽世界に往生することを得」と説かれる。

これは、十九願要門の機を誘引せんが為に説かれるが故に、数量を言い、命終わる時というといえども、その真意、十八願悪人正機の世界を示されるにあり、平生（へいぜい）の時、正覚華（しょうがくけ）、即ち、金蓮華、生死海中に来たって、聞其名号信心歓喜の一念に、衆生を摂取して、その所乗（しょじょう）となりたもう。これ即ち、如来久遠の大本願であった。しかしてかかる絶対他力の大信心海に至らしめられることこそ、無上の歓喜であり永遠の福智蔵であった。噫、三宝に値うことの甚難希有の不思議なることよ。永久に名を讃えまつらん。

三　供養と求道

『大経』云

「仮使有仏　百千億万
無量大聖　数如恒沙
供養一切　斯等諸仏
不如求道　堅正不却」

（島地一―一〇、西一二、東一二）

この文は、『大無量寿経』中、嘆仏偈の御文である。法蔵菩薩が、仏法身を求めたもうに当たって、その願心の堅きを示されたものである。

この文の中には、二つ事が、校量されてある。即ち「供養」と「求道」の問題がそれである。

供養と求道とを校量して、求道の勝れたことを顕されたものである。

「たとい仏有りて百千億万、無量の大聖、数恒沙の如くならんに、一切斯等の諸仏を供養せんより、如かず、道を求めて堅正にして卻かざらんには」

静かにこの御文を頂く時、宗教に於ける極めて重要なる一つの問題が解決せられてある。

「道を求めて、堅正にして卻かず」

これ誠に法蔵菩薩の衷心の本願である。仏身は如何にして成就するか、浄土は如何にして荘厳せられるか、衆生は如何にして救われるか。全てこの法蔵菩薩の求道不退の自利成就によって満足するのである。

噫。「道を求めて、堅正にして卻かず」。五兆の願行を貫くこの意。求道不退の一道ある所、そこには必ず、法蔵の願心が流れている。何たる深き感銘であろう。何たる雄々しくも力強き宣言であろう。

恒沙無量の諸仏に供養することは、もちろん尊き仏事たるを失わない。されど、道なくして、何の供養ぞ、仏事ぞ。恒沙無量の仏に供養するも、不退の求道には及ばない。

世尊は、王者の万燈の献供には語りたまわず、貧女の一燈には、やがての日、須弥燈光如来たるの記別を与えたもう。供養はもちろん、人情の自然に出るものではあるが、しかしそれは仏事の外相である。世尊は、あたかも供養に対して記別を与えたもうに似ているが、よくうかがえばその内面に動く心意を見、その求道の願の正真堅固なるものに、讃嘆忍可の言を送りたもうている。堅正にして卻かずとは、堅は堅固、正は正直である。堅固にして虚偽迷妄は恐るべく、正直に見えても若存若亡の不淳浅薄は貫かず、求道、堅固正直にして、始めて、三世を一貫相続するであろう。

貧女の一燈は、真実求道の象徴である。求道には供養が具わり、供養には必ずしも求道はともなわない。恒沙の仏に供養したとて、正直、堅固、不退の求道なくして、どうしてほんとうの供養であろう。

絶対他力の大道は、六字の回向によって、一念極速円満の大信を成就し正定聚不退の身とならしめられるにある。求道不退によって助かるにあらずして、信心不退によって助けられるのではある。回向の念仏によって往生するのである。

然れども、信心不退の行者は、必ず、み法を聞くを以て、一大事因縁とし、道を求むるを以て、その生命とする。されば、善導大師は「尋道直進」と仰せられ、聖人は和讃に、

「光明てらしてたえざれば　不断光仏となづけたり

聞光力のゆえなれば　心不断にて往生す」（讃阿弥陀佛偈和讃）
（島地一一―一四、西五五八、東四七九）

とあそばされた。聞其名号信心歓喜と、一念大信を成就するものは、聞光力を得たのである。不断光は衆生の上に、心不断の大信心を成就し、一生聞光力の持続によって、往生するのである。

「一。『仏法には世間の隙を闕ぎて聞くべし、世間の隙をあけて法を聞くべき様に思ふ事浅間しきことなり　仏法には明日といふ事はあるまじき』由の仰に候　『たとひ大千世界にみてらん火をもすぎゆきて、仏の御名を聞く人は、ながく不退にかなふなり』と『和讃』に遊ばされ候」（『蓮如上人御一代記聞書』）（島地三〇―一二二、西一二八〇、東八八二）

「一。金森の善従に或人申され候　『此間さこそ徒然に御入り候ひつらん』と申しければ善従申され候、『我が身は八十にあまるまで徒然といふ事を知らず　その故は弥陀の御恩の有難きほどを存じ、和讃・聖教等を拝見申し候へば心面白くも又たふときこと充満する故に、徒然なる事も更になく候ふ』と申され候ふ由に候」（同上）
（島地三〇―一二八、西一二九三、東八九〇）

信の上の聞法求道は、愛楽である、讃嘆である。苦行にあらず、条件にあらず、唯これ、法味楽のみ、最第一の喜びのみ。

『歎異抄』第十八章にいわく、

> 「一、仏法の方に施入物の多少にしたがひて大小仏になるべしといふこと　この条不可説なり不可説なり比興のことなり……いかに宝物を仏前にもなげ師匠にも施すとも信心かけなばその詮なし　一紙半銭も仏法のかたにいれずとも他力に心をかけて信心ふかくばそれこそ願の本意にて候はめ　すべて仏法に言を寄せて世間の欲心もある故に同朋をいひおとさるるにや」（島地二三―一一、西八五〇、東六三八）と。

一紙半銭、仏法のかたに入れずとも、他力にこころをかけて、信力ふかくば、これを以て本願の正意とすといわれるのである。これまことに浄土真宗の真面目を言い明かされたものである。仏法者心せよ。布施の量を以て、信心の尺度とし、来世果報の結構を期待するが如きは、教役者の欲心と、聞法者の無智との紐れあいにすぎず。言語道断である。嫌らしき、にがにがしきことであると、説破せられたのである。

供養布施と聞法求道の問題、この問題こそ、最も明らかに認識されなければならぬ現実の問題ではないか。真面目に歩まんとする僧侶を苦しませ、その手足を縛りくるものは、信心なく、聞法の心なき、門徒の権力ではないか。如何に信心なきものの供養が、苦々しい結果となって現われるか。至る所、傲慢不遜なる「世話係」によって、純正なるべき宗教が歪（ゆが）められ、和合僧（わごうそう）を破壊されて道がふさがれているではないか。

これ皆、教役者の、利己的欺瞞の為に、何時（いつ）しかに造られた過古（かこ）の長い因襲の為である。若し教役者にして欲心の為に、「同朋をいひおとす」が如きことあらば、仏法中に巣くう、獅子身中の虫である。

「いかに宝物を仏前にもなげ師匠にも施すとも信心かけなばその詮なし　一紙半銭も仏法のかたにいれずとも他力に心をかけて信心ふかくばそれこそ願の本意にて候はめ」

一切の醜悪なる事実は、真実を掩（おお）うことによって、不純なる生活がゴマ化されてゆく。如何に、人間の今日に不都合であろうとも、真実は永遠に真実である。手をかえ品をかえて供養を強い、真実信心を自ら求めようとも、与えようともせぬ時、教田（きょうでん）はますます荒れて、三宝（さんぼう）の清浄華（しょうじょうけ）はあとを絶ってしまうであろう。憂うべき仏教の現状を見る時、思い半ばにすぎるものがある。殿堂の華美を競って、信心を第二におき、供養の多からんことを求めて、信心の沙汰を二の手にする時、ものを出す者、しかも信心のない供養者がはびこって、寺院や教団や、教役者が、身動きもならぬに至るは当然である。合掌念仏のない所には、物さえも死んでしまう。

往生には、信心一つにてこと足りる。一紙半銭を、仏法のかたに入れずとも、他力の信心深くば如来の本願にかなう。真実を語るに勇敢なれ。『歎異抄』の著者が、如何に真実を尊び、真実に生きることに忠実であろうとしたか知るべきである。明らかに真実を見、真実を行歩して、妥協してはならない。信心為本の宗風、その徹底のみが、「為世燈明」と、仏教本来の使命を成就して、社会国家になくてならぬものとなるであろう。若し仏教者が、ここに覚めなければ、ついには、仏教もまた無用の長物として捨てられるであろう。

「一。前々住上人は御門徒の進上物をば御衣の下にて御拝み候　又仏の物と思召し候へば御自身の召物までも御足に当り候へば御頂き候　『御門徒の進上物即ち聖人よりの御与と思召し候ふ』と仰せられ候と云々」（『蓮如上人御一代記聞書』）
（島地三〇―四四、西一三三九、東九一二）

門徒が物を御供養すれば、衣の下から拝まれたのが、蓮如上人であった。それは、その進上物をそのまま、祖師聖人よりの御与えと思召されたからであった。真実に供養することも困難であろうが、合掌して受け取ることは猶更難しいことである。

「一。蓮如上人御廊下を御通り候ふて、紙切の落ちて候ひつるを御覧ぜられ『仏法領のものをあだにするかや』と仰せられ、両の御手にて御頂き候ふと云々　総じて紙の切なんどの様なる物をも仏物と思召し御用い候へば、あだに御沙汰なく候ふ』の由、前住上人御物語候ひき」（同上）　（島地三〇―四五、西一三三二、東九一三）

「一。或人申され候ふと云々『我は井の水を飲むも仏法の御用なれば水の一口も如来聖人の御用と存じ候ふ』由申され候ふ」（同上）　（島地三〇―一二三、西一二八二、東八八四）

誠にこれ、布施によって生き、御恩を頂いて生きるものの、頂戴すべき御教化である。

「一。善宗申され候。『志　申し候ふとき、我物顔に持ちて参るは恥しき』よし申され候『何としたることにて候ふや』と申し候へば『これはみな御用の物にてあるを、我が物のやうに持ちてまいる』と申され候　『ただ上様の物とりつぎ候ふことにて候ふを我物顔に存ずるか』と申され候」（同上）　（島地三〇―一〇、西一二五一、東八六六）

受け取る者が真実である時、差し上げる者もまた真実である。「上様（蓮如上人）の物を上様にとりつぐ」とは、何たる尊い心であろう。

「一。兼縁、堺にて蓮如上人御存生の時、背摺布を買得ありければ、蓮如上人仰せられ候『かやうの物は我が方にもあるものを無用の買事よ』と仰せられ候　兼縁『自物にてとり申したる』と答へ申し候ふ処に仰せられ候　『それは我が物か』と仰せられ候　悉く仏物、

如来聖人の御用に漏る事はあるまじく候」（同上）

（島地三〇―四六、西一三三三、東九一四）

仏法者にとって痛いみ教えである。全て仏物、如来聖人の御用のものを我が物と考え、多くを平気で無用のことに、時には不善にこれを費やすのである。誡むべきである。

人に物を布施したいのは人情の自然である。ましてや、信の世界に於ては、供養となり布施となって表れて来よう。布施によって生きる者は、せめて合掌して衣食すべきである。それを逆用して信と布施を顚倒し、求道と供養との軽重を乱る時、宗教は、誠にいまわしきものとなるであろう。念仏こそ第一義である。信心獲得こそ一大事因縁である。根本が生きて末もまた美しく成就するであろう。『大経』の宗教原理、頂くべきである。

四　愛に随える凡夫の道

私は今、ここ（加計支部）に来て正信偈の龍樹章を講じている。

龍樹菩薩の『十住毘婆沙論』の易行品においては、不退転地の問題が中心となって、難行道と易行道とが分別せられ、易行道が示されてある。

龍樹は、実在に対する平等智と雑多な人生に対する差別智と、その両者の統融調和を一番の問題とせられた。いわゆる声聞辟支仏は、平等の空見に堕するものであり、利他の大悲を失するものである。それに反して差別に囚えられれば、恩愛を離れることが出来ないで、凡夫地におわる。凡夫とは恩愛によってのみ動くものである。この二者の統融こそは不退転の真智である。

菩薩は、「凡夫」の如く差別を知り、「二乗」の如く平等を知る。差別の生死界を棄てず、これと対立しないところに二乗より救われ、生死に随順しつつも、平等の智慧眼を開いているところに凡夫地より救われるといわなければならない。

しかも恩愛の凡夫が、難行道においてこれを得ることははなはだ困難である。そこで「疾く阿惟越地（不退転地）に至ることを得る方便あらば願わくば為にこれを説きたまえ」と問題を出さざるを得なかったのである。これに対するに龍樹は、厳しい呵責を以てしつつも、ついに答えられたのが、易行の念仏道であった。

私は今、難易二道の教判や、龍樹の宗教について語ろうというのではないが、龍樹菩薩は、私に対してあまりに多くのことを思わせたもう。その思いの一、二を書いて見ようと思うのである。

人間が肉体を持たず、五欲を持たないものであるならば、人間は輪廻の凡夫ではない。肉体を持っているが故に生きねばならない。そこに貪愛が生まれ、瞋憎が生まれる。絶ち難き愛執、離れ難き恩愛、愛するものに生別死別したり、愛せざるものと共にあったり、様々な悲劇が生まれて来るのである。

実に人生は、悲劇の連続である。この世の孤独に、闇に泣く子の悲痛な声が、四方八方から我をとりまいて、私を泣かしつづける。一時の順境に、高らかに笑う安価な浅薄な様々な声が、ますます私を沈痛な心につれてゆく。

「生死の苦海ほとりなし」みはるかす生死の大海の様、大士のみ言の真実なるを如何せん。

『十住毘婆沙論』の巻頭に云く、

「地獄・畜生・餓鬼・人・天・阿修羅の六趣は、険難恐怖大畏なり。この衆生、生死の大海に旋流廻復し、業に随って往来す……諸結煩悩有漏の業風、鼓扇して定まらず、諸の四顚倒に欺誑せられて、愚痴無明の黒闇にあり、愛に随える凡夫、無始よりこのかた常にその中に行じ、生死の大海に往来して、未だかつて彼岸に到ることを得ず」と。

何たる悲痛な文字であろう。凡夫とは実に愛の中にあって、苦楽に囚われて生死を出づることと能わざるものであり、二乗とは、この生死の苦海を無視するもののことである。人間、肉体を持つ限り、この生死の苦海と絶縁することは出来ない。誰も彼も大波の中に巻きこまれてゆく。恩愛あるが故に。

人もし平等一如の彼岸にむかって真に眼を開き、平等普遍の光に照破せられるならば、そこに帰依の意をおこし信心を成就するであろう。信心の智慧はまたそのまま、我及び人生の真相を照らす光である。平等なる智慧光に眼を開かずしてどうして差別の我及び人生の真相がわかろう。

しかるに久遠の大悲は誓願によって、この無明の大海に、衆生を度する大船となり、闇を照らす燈となって回向顕現して下さるのである。

和讃に云く、

「智慧の念仏うることは　法蔵願力のなせるなり
　信心の智慧なかりせば　いかでか涅槃をさとらまし
無明長夜の燈炬なり　智眼くらしとかなしむな
生死大海の船筏なり　罪障おもしとなげかざれ
願力無窮にましませば　罪業深重もおもからず
仏智無辺にましませば　散乱・放逸もすてられず
如来の作願をたづぬれば　苦悩の有情をすてずして

回向を首（しゅ）としたまひて　大悲心をば成就せり」（島地一一—三五、西六〇六、東五〇三）

如来の生命は回向にあり、苦悩の衆生をすてずして、限りなく回向したもうが故に、苦悩の中に念仏申すべきである。罪業深重を憶（おも）う時、散乱麁動（さんらんそどう）、放逸懈怠（ほういつけだい）の見える時、念仏申すべきである。如来は、無明長夜の燈炬（ともしび）であり、生死大海の船である。生死の大海を観ずる時、念仏申すべきである。如来は、願力によって、信心の智慧を成就し、念仏の智慧を回向して、不滅の燈をその胸中に点（とも）したもうのである。念仏申すべきである。

生死の大海は恩愛の大海である。絶ちがたき恩愛を知るものは、恩愛の中に念仏申すべきである。

人は必ず、ただひとり、人生の闇路（やみじ）に立ち、岐路に立って、如何に生くべきかと行き詰まり、自らその道を決定しなければならぬ日があろう。

その時、誰と語るのか。誰を力として動くのか。如何なる言葉を聞いて決するのか。待て、待て、あせるな。熟慮せよ。悔いのない道を行け。一生の岐路に立った時、自暴自棄に陥ったり、涙に眼が充血したり、瞋恚（しんに）の心で妄動したり、逆上興奮したままで大事を決したり、自分の勝手我慢ばかりを考えたり、帰らぬ愚痴を繰り返したり、そうした愚かな動き方をしておれば、必ずそれがやがての日、二重三重の苦悩となって汝（なんじ）の上に帰って来るであろう。

平素聞いたみ法(のり)がものを言ったか、念仏の意(こころ)が出て来たか。二尊の仰せが聞こえるまで動いてはならぬ。決してはならぬ。悩みの奥、煩悶(はんもん)の底に沈んで、底の底に、涼しい広い天地が開けてきて、念仏の心が蘇るまで、じっと考えて動いてはならぬ。念仏の意に立って誰にも動かされずに、汝自身の道を行け。わからないのに動くな、迷うたままで動くな。念仏の意より外に真実に汝の道を決定(けつじょう)してくれるものはあり得ない。

汝の最高顧問は貪欲(とんよく)であるのか、大法(だいほう)であるのか。貪欲詐親者(さしんしゃ)を汝の参謀とするなかれ。念仏の意によれ。大法の前に稽首(けいしゅ)して、その絶対命令に服従せよ。必ず広くして明朗なる道、汝の上に開けん。

人は罪業によって生死(しょうじ)につながる。肉体あるが故である。

信心の子は念仏によって彼岸につながる。大悲本願あるが故である。

罪悪生死なくば、如来大悲の本願はないであろう。

大悲本願の領解(りょうげ)なくして、生死罪濁(ざいじょく)の深信(じんしん)はないであろう。

念仏の意に於て、人生を受け取る者には無限の感謝があり懺悔(さんげ)がある。懺悔は生死罪濁を自己に於て見出すが故であり、感謝は、彼岸の功徳の宝海を大信の一念に回向せられるが故である。

「一切菩薩ののたまはく　われら因地にありしとき
　無量劫をへめぐりて　万善諸行を修せしかど
　恩愛はなはだたちがたく　生死はなはだつきがたし
　念仏三昧行じてぞ　罪障を滅し度脱せし」（島地一一―二四、西五七九、東四九〇）

恩愛あるが故に人は生きる。しかも恩愛あるが故に迷い、苦しみ悩むのである。菩薩の無量劫をへめぐるもこの為である。

しかるに大悲の本願は、恩愛あるが故に救いを成就したもう。恩愛の上に念仏を成就したもう。念仏なければ恩愛は生死の大因となるであろう。しかるに大悲の光は、恩愛の上に輝きたもうのである。夫念仏して妻念仏し、親念仏して子も念仏に入る。愛するが故に、愛するが故に、念仏の一道に入れなくてはおられない。恩愛、愛欲が地獄の因となるか、大悲光明の流れたもう電線となるか。念仏三昧の世界は、恩愛の電線の上に開けたもうのである。

彼女に彼女の過去を聞く。泣いて来た一生であり、苦しんで来た一生である。事、志と違い、愛に恵まれず、幸せ少なき過去である。一切を失った生涯である。

しかるに彼女は今、念仏の世界にあって、唯大法の尊さを身を以て生き、合掌して我が幸を喜ぶ身の上である。見よ。彼女の過去のすべては、その失敗さえも、不幸さえも、泣いて来た原因さえも、今は悉く生かされて、かえって喜びの中に融けて、その念仏の豊かな内容となっている。

噫。人生の最初に笑いしものその最後に笑わず。その最初に泣きしものその最後に泣かず。人生の最初に立って人の運命を祝福せんとするは人間凡夫の恩愛である。されど、人生行路、人の子は垢づき疲れ煩悶してやがて老病死におわる。最後の日に当たって、最初の祝福の声は、悲しみの泣き声と変わる。

最後の日、最後の日に当たって、自らの運命を感謝し、永き涙の歴史さえ浄められて、禍福ふたつながら転じて絶対歓喜の境にあらしめたもうは、唯これ念仏の世界のみである。念仏は人生の究竟的絶対歓喜である。

最初の日にあたってその運命を祝福せんとする世界。

最後の日に立ってその尊く有難かりし運命を慶賀し得る世界。

我らは二つの世界に住む。しかも多くの親の心は、初の世界を知って後の世界を知らず。念仏の人のみそれを知る。

「信心決定して念仏申せ」。この一語の真実が領解せられるものは、最後の日に当たって不滅の幸にいるであろう。

「不退のくらいすみやかに　えんとおもはんひとはみな

恭敬の心に執持して　弥陀の名号称すべし」（島地一一—一三、西五七九、東四九〇）

大地に合掌してみ法を聞き、信心決定して念仏申す者の上にのみ、一如法界への平等の真智と、生死界への差別智とを大信のうちに統融して、正定聚不退の位にあらせたもう。二乗は恩愛を無視し、凡夫は恩愛に泣く。如来の大悲光明のみ、恩愛の中に菩薩道を回向したもう。念仏申すべし。ありのままの中に大法頂戴すべし。

五　誓願力

「一。この真実信心を世親菩薩は『願作仏心』とのたまへり、是れ浄土の大菩提心なり　然ればこの願作仏心は即ち度衆生心なり　この『度衆生心』と申すは即ち衆生をして生死の大海を度すこころなり　この信楽は衆生をして無上大涅槃にいたらしめたまふ心なり　この信心即ち大慈大悲の心なり　この信心即ち仏性なり　仏性即ち如来なり」（島地二〇—九、西七一二、東五五五）

これは親鸞聖人の『唯信鈔文意』の御言であるが、まずこの一文を読む同胞たちは、この唯信鈔の御文を、幾度、幾十度、拝読、心読、体読して、記憶するまでに至って後、この拙文を読んでほしい。

一。「この信心即ち大慈大悲の心なり」。この信心は大慈悲の心である。何という尊くもまた深いみ言（こと）であろう。もちろん大慈悲とは如来心そのものではあるが、その大慈大悲のこころそのものが、凡夫煩悩の心の上に、大慈悲そのままに、聖火と燃えて、衆生心の内奥（ないおう）に、大信心の清浄真実心（しょうじょうしんじつしん）となって下さることを端的に示されて、信心即大慈悲と仰せられたのである。

この一句そのままでない念仏、この一句の生きていない信心、この一句の眼に入らない教家、この一句を知らさない教団、曰く行者、曰く何。そこに親鸞聖人の浄土真宗があるであろうか。「この信心即ち大慈大悲の心なり」。軍人の負傷は、敵の砲弾に因（よ）り、火傷（やけど）は直ちに火に縁（よ）り、大信心は大慈悲に依る。皆これ個我のはからいによるに非ずして、法自体との必然の交渉によるのである。

如来浄土の大慈悲、赤き純粋無雑なる大慈悲真実心が、真実なき人生に生きたまわんが為の本願にてましDます。如来浄土のものを、この世のものとなし、我及び人生の真実内容、即ち人格の本質、人生に於ける真実道義の根拠たらしめたもうところに、大信心の世界があるのである。まことに大慈悲は、大信心を通して、自覚を通して、この世の光となりたもうのである。「この信心即ち大慈大悲の心なり」。頂くべきである。

一。聖人は、信巻において、信楽の二字を釈せられて後、『涅槃経』の御文を引いて、信楽の裏付けをせられた。その御文には、大慈大悲、大喜大捨の四無量心が説かれてある。

「善男子　大慈大悲を名けて『仏性』と為す　何を以ての故に　大慈大悲は常に菩薩に随ふこと影の形に随ふが如し　一切衆生畢に定んで当に大慈大悲を得べし、是の故に説きて『一切衆生　悉有仏性』と言へるなり」　（島地　一二一―七二、西二三六、東二二九）

大慈大悲は、常に菩薩に随うこと影の形に随うが如し。一切衆生は畢に定めて当にこの大慈大悲を得ることが出来る。しかしながらそれは決して、自らこの心を凡夫の心中より発起するのではない。平等の大慈悲は、地の菩薩にして初めて発し得るのである。しかるに、我らは、南無阿弥陀仏において獲させて頂くことである。南無阿弥陀仏は大慈大悲そのものにてまします。南無阿弥陀仏を獲るものは、大慈大悲を獲るのである。したがって大慈大悲は信心の行者に常に随いたもうこと影の形に随うが如くである。南無阿弥陀仏を生きるものは、大慈大悲を生きるものである。

曇鸞大師は「大慈悲は是れ仏道の正因なるが故に正道大慈悲と言ふ」と仰せられた。大慈悲こそ、たった一つの仏道の正因である。この大慈悲こそ、出世の善根といわれるものであり、浄土は即ちこの出世の善根より生じたる世界である。であるから、

「大悲は即ち是れ出世の善なり　安楽浄土は此の大悲従り生ぜるが故に、故に此の大悲を謂ひて『浄土之根』と為す　故に『出世善根生』と曰ふなり」

（島地一二―一五〇、西三五九、東三一五）

と註釈せられた。浄土も大慈大悲であり、如来も大慈大悲であり、やがて信心もまた大慈大悲の心である。ここに真の仏道を成じ、真の仏弟子を生むのである。

一。今更に、「行住坐臥、時処諸縁を問わず、念仏申せ」のご教化を頂くことである。念仏申すところには大慈悲がある。大慈悲の摂取不捨こそ、念仏を通しての如来の因力果力、威神功徳不可思議の全てが人生に現行したまふ唯一の相だからである。故に、聖人は「この信心は、摂取の故に金剛心となる」（『唯信鈔文意』）（島地二〇―九、西七一二、東五五五）と仰せられた。

教家たるものが、行くというは、念仏の意においてであるか。行かぬというは、大悲の心を憶念してのことであるか。行くというも、行かぬというも、それが念仏の心においてでないならば、自力貪欲においてである。教家たるものの行動、行くも大悲、帰るも大悲でなければならぬ。信心決定して念仏相続するを聖人は常行大悲と讃えられる。

一。ここに於て「この真実信心を世親菩薩は『願作仏心』とのたまへり　是れ浄土の大菩提心

なり　然ればこの願作仏心は即ち度衆生心なり」（島地二〇—九、西七一二、東五五五）と仰せられることの有難さを思うものである。

願作仏心、それは信心の異名ではある。しかし信心が一心帰命の静的な相であれば、願作仏心はその動的な相である。如来回向の大慈悲によって、限りなく自利成就せんとする動的な意志である。願は信の中に在り、信の中にあってしかも信と別なものではない。天親菩薩が、又、願生安楽国といわれたもの、善導大師が清浄願往生心と謂われたものと、その本質においては同一なるものである。これ、五念行中の第三念門、作願門に外ならない。第一の礼拝門、第二の讃嘆門においては、同一であるかの如くであっても、そこに死活があり、ある人の念仏には尊き香の胸を打つものがあり、ある人の念仏はにせものという感じを懐かずにはいられないのは、かかって第三念門、作願門の有無にあるのではあるまいか。もちろん、根本に遡れば、一心帰命の如実不如実にあるのではあるが、この一心帰命が全く心意の事実であるが故に、身業や口業の上にはゴマ化し偽装し得ても、その意業そのものは如何とも出来ないのであろう。礼拝念仏が、内心名聞利養の為である時、欠けているのは、清浄なる願である。願がものをいわねば貪欲がものをいう。礼拝帰命の意が名利である時、礼拝帰命も如実ではない。随ってそこに尊き香を放つことは出来ない。それは本仏の大慈悲から生えぬいたものでないからである。成就文に「至心に回向したまえり。かの国に生ぜんと願ずれば、即ち往生を得、不退転に住せん」とあり、大悲回向の文字の次に、まず願生彼国といい、次に即得往生を示して、不退転と顕された教主の心を知るべきである。全一なる願のないところには、正定聚不退転の相はあり得ない。

一。自利するもののみ利他する。利他するもののみ自利する。

願作仏心に生きる人の歩みの中からのみ、度衆生の大用が顕れる。度衆生心は願作仏心とともにある。願の熾烈でない人が、己が才覚によって人を動かそうとする。畢竟それは徒労におわる。忠実に大法によって歩むべきである。聞いて聞いて聞きぬく聞法精進をもって貫くべきである。自利利他を一如にして、浄土の大菩提心といわれる。自利と利他との間を割く力は三千大千世界にはない。どれだけ浄土の大菩提心たる願作仏心に生きる人を嫉妬しても、障碍しても、この二利を割く力がない限り、どうすることも出来るものではない。如来本願力自体の金剛不壊の善住持力の顕現だからである。大慈悲のみ、永遠の力である。信心のみ不壊の力である。不退の願作仏心に生きぬくべきである。

聖人言く「是れ即ち如来大悲の誓願力なる故なり。この信心は摂取の故に金剛心となる」と。

六　浄土の大菩提心

一。『唯信鈔文意』に云く、

「この真実信心を世親菩薩は『願作仏心』とのたまへり、是れ浄土の大菩提心なり　然ればこの願作仏心は即ち度衆生心なり　この『度衆生心』と申すは即ち衆生をして生死の大海を度すこころなり」と。（島地二〇―九、西七一二、東五五五）

一。三月の本部の例会の講讃は、『正像末和讃』中、勢至和讃からはじまった。『首楞厳経』について頂きはじめ、その主題は「信心の智慧」ということであった。信心の智慧、まことに信心こそは如来回向の智慧である。仏智さながらの智慧である。念仏の行者の胸を照らしたもう、破闇満願の光明である。この智慧は全一なる徳そのものである。全一なる徳とは、恒沙無量の徳が、円融とて、円満に融けて、欠くるところがないことである。この全一の徳の光、即ち智慧である。

信心とは、如来の全一なる功徳宝海を機において受け取った心である。したがって信心の智慧は如来の仏智そのものの人生における輝きに外ならない。

一。『正像末和讃』に云く、

「釈迦・弥陀の慈悲よりぞ　願作仏心はえしめたる　信心の智慧にいりてこそ　仏恩報ずる身とはなれ」と。　（島地一一―三五、西六〇六、東五〇三）

信心は智慧であり、願作仏心である。二尊の大悲は我らをして願作仏心を発さしめたもうのである。

今、注意して、先に示したる『唯信鈔文意』の御文を拝読すれば、「この真実信心を世親菩薩は願作仏心とのたまへり」と言いて次に、「是れ浄土の大菩提心なり」と示し、次に「然ればこの願作仏心は即ち度衆生心なり」と表された。「然れば」の語に注意して熟読玩味する時、信心は願作仏心である。しかして願作仏心は浄土の大菩提心である。浄土の菩提心であるが故に、願作仏心は即ち是れ度衆生心であると仰せられるのである。

この御意によれば、浄土の大菩提心とは、願作仏心即ち度衆生心であるということである。誠に聖道自力の菩提心でなくて、浄土の大菩提心は、願作仏心即度衆生心、自利即利他、自利利他一如の大菩提心であることを示されるのである。

一。願作仏心はそのまま度衆生心である。この御意を心を静めて頂く時、誠に、不可説の感銘に入ることである。

念仏の行者たるもの、そもそも何を喜ぶのであるか。何が有難いのであるか。如来本願の真意にふれないものは、功利的な根性から出で得ないであろう。地獄の苦を逃れて楽しみづくめの欲楽を求めんとしたり、自力我慢のままで、濡れ手に粟(あわ)のつかみどりを考えたり、浪曲道楽の興行寄席におけるが如く、ゴロついて仏道を弄(もてあそ)ぶ等、これによってあわれ超世無上(ちょうせむじょう)の大道も、唯一絶対の真実教も、横超(おうちょう)の直道(じきどう)も、道徳の世界にすら及ばぬほど低劣なものに堕落したのが、現実の浄土真宗である。

しかるに親鸞聖人の本願の宗教は、人格的生活の本質、道義の根本、その根本第一義の大問題を解決して下さるところの生命としての宗教である。しかして、その第一義の問題解決の端的な表現が、この浄土の大菩提心、願作仏心即度衆生心のみ教えであるといい得るであろう。

一。自利成就しようとすれば利他がぬけ、利他成就しようとすれば自利が立たない。自利成就したようでも、それが利他にならないで損他(そんた)である場合には、その自利は本質的には自損(じそん)である。利他成就するかに見えても、それが、自利成就しないで自損におわるならば、利他は愚痴の因となり、利他ではなくてかえって損他である。自己を知れば知るだけ、智目行足(ちもくぎょうそく)の欠けたる自損損他のみの相が曝露する時、そこに真の生活ということが成り立つであろうか。この自損損他の心こそ煩悩である。

叡山二十か年の御修行が、この自損損他の煩悩の正体をいよいよ明らかにしてくれるに過ぎなかった、聖人の「地獄は一定すみかぞかし」との御自証こそ、自己と人生とを真に領解する者の偽らざる声であろう。自損損他の我の痛ましき流転の現実よ。道はないか。自他一如に助かる道はないか。光はないか。この第一義の問題にして得られるならば、永劫の火も氷も厭うものかは、我に永遠の道を示したまえ。それが、世尊の、諸菩薩の、聖人の悩みではなかったか。

一。然るに、聖人ははからずも法然上人によって如来本願の真実教に遇い、天親・曇鸞の御化導によって、大信心即ち、浄土の大菩提心を獲、これによってこの一大事の解決を得られたのであった。浄土の大菩提心は願作仏心そのままが度衆生心である。自利のままが利他であり、利他のままが自利である。ここにおいて、人格的道義的問題は本質的に解決したのである。

何が故に、浄土の菩提心に於て、この問題が本質的に解決するのであろうか。これ、永遠の大行たる名号こそは、如来誓願の表現であり、一如の価値の全現であるが故である。けだし名号の大行こそは「設我得仏」と願じたる如来の願作仏心の果相であると共に「若不生者不取正覚」と誓える如来の度衆生心の成就相である。誓と願との一体の成就、若不生者の誓いによって設我得仏の自利の願を成じ、正覚自利の願の成就によって、衆生済度の利他を成就せるもの、如来の本願である。かくして自利利他一如の本願の成就の具体的表現が名体不二の名号である。名号こそは、自利利他一如の誓願の表現である。

この名号の大行を受け取ることによって、如来の誓願を領解するものは、大悲誓願のままの信心を発起する。然るに、自利利他一如の名号なるが故に、信心も亦、自利利他一如の徳のままである。法界の秩序として、生死界にある限りのものは、因位の相を取る。随って、全一なる如来の功徳も、因位の相たる大信心の相をとりはするが、その内具する徳は全一なる如来正覚の果徳そのままである。故に念仏の行者を等正覚の人といわれるのである。

一。因位の相とは自利成就の相である。願作仏心がそれである。願作仏心は、大安心の中に必然に発起する金剛不壊の、清浄真実なる意志である。善導のいわゆる、清浄願往生心である。聖人のいわゆる、金剛の真心の獲得である。この心は、限りなく本願力に乗托しつつ、大法の食物を摂って生ききるであろう。この願往生心を壊し、これを汚し、これを止め得る力は内にも外にもあり得ない。故に、無碍の一道が展開して来るのである。聖者が、迫害苦難によって、より明らかに、その徳の光を輝きあらしめたのはそのためである。

一。因位の相とは、自利の願作仏心ではあるが、浄土の大菩提心なるが故に、自利成就のままが、度衆生心の利他を成ずるのである。仮令(たとい)、行者の意識の上には、度衆生利他の想はなくとも、一心帰命にして純粋であり、願作仏心にして熾盛(しじょう)であるならば、その足跡には美しい徳の華を咲かしめるであろう。火鉢に火熾(さかん)なれば、計わずとも人を温ため、電燈にして万燭(まんしょく)光を発すれば、求めなくても人を明るくするが如くである。されば、行者たるもの、教えを聞信して忠実に唯一道を精進すべきである。

七　学仏大悲心

「聞きに出たくないのが先で、理由は後からつきます」とは、住吉の田中老の言であるが、けだしこれ、差別の愛憎のみに迷うて、平等大悲の教命(きょうめい)を聞かぬ者、その者の腹の中をうがった言である。法を聞きたくないのは、心の胃腸が悪いからである。こうした人は、人間の経緯と見識だけで生きる。

人間の経緯にものを言わせてみ法(のり)を聞かない人、たとえ聞いても、人間の経緯にものを言わせて、大法をそれに従わせるか、大法を立てて、まず大法にものを言わせて、人間の経緯を解消せしめるか、そこにまぎれのない二つの世界がある。煩悩中心か念仏中心か。

人間の経緯が何であろうと、それよりもまず法を聞くべきである。平等大悲の教法は、心の滋養であると共に、心の胃腸を治する醍醐の妙薬である。み法を聞けば、聞くだけ、心中に充満するままに、いよいよ空腹を感ずることである。平等大悲の教法のみ醍醐の霊薬である。凡夫差別の心は全て「智愚の毒」である。

『大経』には、憍慢と蔽と懈怠の三つを挙げて、真実教の信受されない因を示し、如来会には、邪見と下劣とをあげてある。憍慢と蔽と懈怠と邪見と下劣の五つこそ、頑強に真実教に抵抗してこれを受け入れまいとする難治の三病の具体相である。御正信偈に「邪見憍慢悪衆生信楽 受持甚以難」と示されてあるのは、五を略して二として挙げられたのである。

人は、その受けたる教え以外に人たるの人格的価値を発揮するものではない。しかして、如来平等大悲の真実教の言々句々より外に、我が心の真相を知らせて下さるものはない。故に、教えを聞かぬものは、己を知らない、もし邪見憍慢がそのままでいるならば、教えは一定のところより耳に入らない。教えが響いてきた時に、この己が心の病が見え、その時教えが心に入る。教えはこの悪を融かして、教えに随順せしめる。であるから、邪見憍慢を治療するものも正法（しょうぼう）であり、人格を長養（ちょうよう）するものも正法である。

正法に敏感なる心は、煩悩に対しては鈍感であり、煩悩に対して敏感なるものは、正法に対して鈍感である。

正法の世界では梃（てこ）でこねても動かず、人の悪口などに対しては、針でさされたこと位で、大騒動を起こす。正法の言々句々は、一一これを無視しても平気であり、隣近所の何でもない誤解などは傷にしむ塩ほど敏感である。これ正しく重病の相である。

正法に対して敏感であれ。羊の毛ほどの一言に対してすら、全我躍動（ぜんがやくどう）して念仏する人、私は、この人のましますを知り、この人を今、我が周囲に拝んでいる。

棒でたたいても動ぜぬ憍慢なる我、若草がそよぐ風になびくが如く、静かに率直に正法のままに動く無我、正定聚（しょうじょうじゅ）の菩薩は、この正法のままなる世界に生まれる。不退転に病の癒えつつある人である。

平等大悲の風、静かに渡るところ、そこには、徳の光、徳の香、徳の力が現われる。真の歓喜と、明るさと、不滅の道がそこにある。

父母（ぶも）に孝に、兄弟に友に、夫婦相和し等の諸善は、念仏体内の徳として、この正法の風そよぐ国に、念仏の大樹の枝葉として茂り、その万朶（ばんだ）の花として咲くであろう。故にまず大悲を学んで念仏すべきである。

汝、汝の内心を唯一の問題とせよ。

汝、教主世尊、教主聖人の教法のみを唯一の問題とせよ。

誤って、邪見憍慢を知らず、名利に執（とら）われ、一つの建物、一つの権勢、等々に心を奪われて、世の雑音の機嫌をとり、煩悩邪悪の人と妥協して、その行歩（ぎょうほ）を乱すことなかれ。必ず、正法の園より追われ、他日の苦因敗退の種となるであろう。絶対に正法に忠実なる一道にあってたじろがざれ。ものを煮るに、火をたきつけたその時すぐには、沸騰せざるも、必ず、やがて煮えたぎるであろう如く、正法に忠実なるものは必ずその身栄えて、心安く、身豊かに、生きる日の幸を謝するの日あり。正法を聞きて、それに忠実なることは、釜の下に火をたいて更に更に薪（たきぎ）を加えるが如くである。

大法に忠実なることより外に、汝に問題あることなし。ここに決定（けつじょう）して動かざるものを最大一の智者となす。

世の愚者、火を釜の下に焚き、直ちに釜の中に手をつけて、未だ氷の如くつめたいのを見て、かえって火を消す。人の汝を仰がないのは、水の冷たきが為である。汝の冷たさを言うものがあらば、また更に三毒の氷を出して、かえって世を怒り、これと争って、火をたくを忘れ、法を求むるを止め、尊敬せざる者をにくみ、更に、愚者あって我を敬えばこれを迎える。自力の歩みはかくして乱れて六道に入る。

たとえ、自力の習気(じっけ)ぬけきらずとも、正法を聞けば必ず利益(りやく)あり。であるが故に、利益のぬるま湯に手をつっこんで、これに囚(とら)われて、火に薪を折り加えることを忘れるもの、億千万衆ことごとく然(しか)りである。鸞師(らんし)が、「進むを知りて退くを守るを智と曰ふ」と釈せられたのも、智慧とは、菩薩が道によって与えられる果報を私して、そこにとどまることなく、正法の命ずるままに、不退転に歩みを相続することを示されたのである。

不退転の聞法精進なくば、今は路傍に若干の安逸を恵まれて、貪欲(とんよく)の満足に安らかなるが如くなるも、やがて火消えて、道に落ち、秋風落莫(しゅうふうらくばく)の中に愚痴におわる日があるであろう。因果を顛倒(てんどう)して波旬(はじゅん)の子となるなかれ。大悲平等の教のみに満足せよ。

静かなるもよく、静かならざるもよく、問題あるもよく、問題なきもよく、順境もよく、逆境もよきは、ただ、生命のあるものにとってのことである。命あれば、寒気に堅くなり、陽気に太くなる。生命の流れたるものは、必ず、一切を我が上に受け取って、その滋養とする。貴重なる滋養物も、病人には時にかえって毒となる。毒となるか滋養となるかは、胃腸の強弱にあり。大法の領解者は、如来願力の回向によって智慧の命を恵まれたものである。慧命のあるところ、ただちに久遠の法身と一体である。南無阿弥陀仏がそれである。

学仏大悲心。仏道の正因は平等の大慈悲である。平等心こそはまことにこれ「仏教の通軌」である。彼の聖道門にあっては、初地已上にしてはじめてこの平等心を獲ると言われる。しかるに我ら信外の軽毛、ただ愛憎に囚われて、差別顛倒の声のみによって六道を輪廻したのである。しかるに我ら、有難き哉。思いがけなくも平等大悲の教命を聞く。この平等大悲の声、法界に響いて、仏道の正因となりたもう。浄土の教えを聞くものは、不知不識、仏のそばに随うものである。故に、信心決定して報恩謝徳の念仏行に生きるものは、常行大悲の人と言われる。されば聞其名号信心歓喜することを学仏大悲心と言われる。されば、念仏の人のみ、言々句々の真実教の言が、そのまま如来の血にてましますことを知るのである。

希くば、我をして、立つも座るも、出るも入るも、語るも黙するも、時処諸縁を問わず、行住坐臥全て、大悲によって終始せしめたまえ。これ我が如来によって与えられたる唯一の願である。念仏すれば、足らざるもののなきに、邪悪なるもののみの我が心に見えることではある。行きかう雲の如くに。

八　智慧のみ光

一。底のないものということは、形のないものということである。形が形だけであるならば、その形には命がない。

形のないものが永遠に形のないものであるならば、形のないことすら知れようはないし、形のないことが底のない深さだということも知れようのないことである。

仏教では、形のないことを、真空といい、形のあることを妙有(みょうゆう)という。形は形のないものからの顕れである。形のないものは限りなく形となって顕れてくる。であるから、真空のままが妙有であり妙有のままが真空である。

紙の上に描かれた墨絵の山水に、人は時に幾百千金を投ずる。何故(なにゆえ)に大家の下した、簡略な山水に価があるのであろう。それは描かれた絵にあるのではあっても、ほんとうは、絵の奥にある形のないもの、形を超えたる無形の絵に価を見ているのである。したがって偽筆は、いかに形は、本物以上に出来ていても、この形の奥の無形の絵はどうすることも出来ないし、その尊きもののかわりに、功利的な心から出た虚偽がその絵の上にあるが故に、偽筆に価を持たぬのである。絵の奥の絵、無形の絵は、書くことによって無くなるものではなくて、十出せば百、百出せば千、いよいよ深くなるものである。文字にしてもその通りである。この無形無色の絵こそ、人格そのものである。

「一には法性(ほっしょう)　法身(ほっしん)と申す、二には方便法身と申す　『法性法身』と申すは色もなし形もましまさず、然(しか)れば心もおよばず語(ことば)もたえたり　この一如(いちにょ)より形をあらはして『方便法身』と申す、その御相(おんすがた)に『法蔵比丘』となのりたまひて不可思議の四十八の大誓願をおこしあらはしたまふなり　この誓願のなかに光明無量の本願・寿命無量の弘誓(ぐぜい)を本(ほん)としてあらはれたまへる御形(おんかたち)を世親菩薩は尽十方無碍光如来(じんじっぽうむげこうにょらい)と名(な)づけたてまつりたまへり」

（島地二〇—八、西七〇九、東五五四）

この『唯信鈔文意』の御言は、いく度頂いても尽きせぬ尊い有難いものを感戴(かんたい)することである。私の話の中で一番たびたび引用せられるものの一つであろう。

「色もなし形もましまさず、然れば心もおよばず語もたえたり」。形色を超え、言説を超えたる法性法身、それが、そのまま、一切衆生の業苦によって大悲本願の躍動、法性生起して、願(がん)

心荘厳の報土となり、光寿二無量の形を大悲の本として名号を成就し、十七願諸仏称名の願において名告り、十八願至心信楽の世界において衆生の機の上に受領せしめ、第十一願必至滅度の願の大利益を得しめて、現実に正定聚不退、等正覚の位にあらしめたもうこと、これ全く、「一如より形をあらわして」本願真実の救いを成就したもうのである。

しかし如何に形を示し名と現われたもうても、その形は固定化された形ではない。あくまで、無形無色のまま、そのままの形色である。いよいよ形色と現われれば現われるほど、その形色を通して一如の寂滅相、涅槃の無相を現わしたもうのである。『浄土論註』に曇鸞大師が、

「由法性法身生方便法身　由方便法身出法性法身　此二法身異而不可分一而不可同」

とお説きなさるのも、この意である。無色無形の法性法身なくして、願行成就の方便法身は生じない。法性法身によって生じたる方便法身は、それによって法性法身を出すのである。法性法身、久遠の法身の底なき尊さは、そのまま方便法身の上に出てくるのである。

一切衆生界は、衆生多少不思議とて、永遠に尽きる日はあり得ない。衆生界の尽きぬ限り、久遠実成の法身が、十劫正覚の願行をおさめて滅度したもうの日はあり得ない。であるが故に、具体的にましますものは、方便法身そのものである。

我らはともすれば苦悩なき日を求め、苦悩の尽きた日のあるが如きことを空想する。相済ま

ぬ愚痴の一相である。衆生界は尽きぬ、大悲も尽きない。衆生界の尽きぬことを思い、永遠に滅度したまわぬ大悲を憶念し、五劫思惟の御意に入る時、永遠の悲しみと、永遠の喜びを知るであろう。

久遠の涅槃城より従果向因して、生死界に永久に大悲の願行を回向したもうことは、今、我らが念仏の事実となりたもうてある。私の生くべき道は一あって二なきことを謝せずにはいられない。

「この報身より応化等の無量無数の身をあらはして微塵世界に無碍の智慧光を放たしめたまふが故に『尽十方無碍光仏』と申す　光の御形にて色もましまさず形もましまさず　即ち法性法身に同じくして無明の闇をはらひ悪業にさへられず、この故に『無碍光』と申すなり　無碍は有情の悪業煩悩にさへられずとなり　然れば阿弥陀仏は光明なり、光明は智慧の形なりと知るべし」　（島地二〇—八、西七一〇、東五五四）

形をあらわして不可思議の四十八願をおこしあらわしたもうとも、そのまま「光の御形にて色もましまさず形もましまさず、即ち法性法身に同じくして一阿弥陀如来は光明である。法界を照らしたもう光明である。しかし「光明は智慧の形なり」。『浄土論』には光明智相と示される。願々悉く智慧光である。言々悉く智慧光である。名号とは智慧である。したがって信心とは智慧である。証とは智慧である。この智慧光、微塵世界に輝きたもうのである。

この智慧光そのまま、それに何ものをも加えない、一微塵を添えない、光そのまま、そのまま回向顕現して、衆生の信心の智慧となりたもうのである。日月の光は外を照らす。智慧光は魂のうちを照らす。照らして闇を破り、志願を満たしたもう。その破闇満願がそのまま仏の智慧光、それを「無明の闇をはらい、悪業にさえられず、この故に無碍光と申すなり」とお示しになるのである。破闇満願することが、そのまま無碍の智慧光、尽十方無碍光である。

南無帰命とは、この光、衆生の大主観となりたもうこと、即ち、衆生における開かれたる眼、『観経』のいわゆる、心眼である。眼はこれによってものを見るべくその眼を見ることは出来ない。故に得たりと眼をつかむものは、得たのではなくして、煩悩の偽装にしてやられているのである。もちろん、疑心あるものは、この無碍光さながらの光に遇わぬものである。かくの如き光明智相の如く生きるもの、即ち破闇満願して念仏する、全一の境を、摂取不捨と言われるのである。摂取不捨の境こそ、久遠の法身さながらの智慧光の、衆生における全てである。久遠の大悲は、今、衆生界をその智慧の光海に摂取して、真如一実の功徳大宝海を、行者の上にあらしめたもうのである。

有漏の業風に凍って、六道の氷となり、我によって一切を固定化せんとする衆生、水によって肉を切るものはなく、堅き氷によって全身傷だらけの衆生、その氷は今、触光柔軟と、大悲の光懐にとけそめて、無相の光輪を五蘊仮和合の肉身の背景にあらせたもう。形は円融の大用によって無限にこれを空じたもう。黒業成就のあるがままの墨絵に、光の御形にて色もましまさぬ智慧の形をあらせたもう。

蓮師言く、

「信心治定の人は誰によらず先ず見ればすなはちたふとくなり候　是れ其の人のたふときに非ず、仏智を得らるるが故なれば、弥陀仏智の有り難き程を存ずべき事なりと云々」

と。

（島地三〇―三〇、西一二九九、東八九三）

動く一幅の墨絵、尊き哉、生ける至高の芸術、念仏の行者。

「釈迦・弥陀の慈悲よりぞ　願作仏心はえしめたる
信心の智慧にいりてこそ　仏恩報ずる身とはなれ」（『正像末和讃』）

（島地一一―三五、西六〇六、東五〇三）

この御和讃によれば、聖人は願作仏心ということと、信心の智慧ということとは、同一のものとされている。

願作仏心を獲るとは、正しい永遠を貫く願を獲しめて下さることである。この正しい願は、信心の智慧の具体的な相である。正しい願、この願は如来の真実教によって開発(かいほつ)したもうものである。真実教、唯一の真実教、その真実教が耳から心の底に徹倒(てっとう)して、開発したもうものが、願作仏心である。真実の教えに遇うたこと、これほど嬉しくも有難いことがあるであろうか。人は多く、真実の生活を成就するとは心の持ち方を変えることだと思ったり、一時的な興奮をそれと間違えたり、すったり、もんだり、磨いたり、心得をかえたりすることだと思っている。しかし、それはついに徒労である。

真実の教を聞くこと、真実の教を聞かせること。それをぬきにして、瞋恚(しんに)の拳(こぶし)をふり上げて、いくたび叱っても、責めても、興奮させても、それではどうにもなるものではない。真実の教を聞くこと、それが正しい智慧を得る唯一の道である。正しい信心の智慧があるところにのみ、真実の願作仏心がある。教を聞かないものは、人に教を聞かせないで、己が我慢で人を自分の型に入れようとする。呪われた教なき世界よ。

真実の教は、一時は迷妄の雲の中に葬られるようでも、決して亡んでしまうものではない。真実の教の中には、「名声超十方(みょうしょうちょうじっぽう)」と誓いたまえる弥陀の御意(みこころ)がはいっている。弥陀の名声こそは釈迦教の基本である。三世を超え十方に超えたる普遍の大行たる名号正宗(しょうしゅう)の中味が入っている。だから真実の教なのである。であるからこそ、真実の教が、これを聞く人の迷いを寸断して智慧を成ずるのである。真実教による智慧がものを言わねば、必ず三毒がものを言う。

信心の智慧こそは一切の価値の認識原理である。しかし、我の強い人、人間としての才学ある人は、如何にも、ものがよくわかったようである。我の見た人生は狂っている。我が尺度で計ったことは間違っている。そこには必ず「無理」がある。決して人の心を真に動かすものではない。それは、顛倒虚偽であって正しい法則でないからである。法則ということについて、『一念多念証文』には「則是具足無上功徳」という『大経』の文を解釈するに当たって、次のように言ってある。

「『為得大利』といふは無上涅槃をさとる故に『則是具足無上功徳』とものたまへるなり　『則』といふはすなはちといふ、のりと申すことばなり　如来の本願を信じて一念するに、必ず求めざるに無上の功徳を得しめ、知らざるに広大の利益を得るなり、自然にさまざまのさとりをすなはちひらく法則なり　『法則』といふは始めて行者のはからひに非ず、もとより不可思議の利益にあづかること自然のありさまと申すことを知らしむるを法則とはいふなり　一念信心をうる人のありさまの自然なることをあらはすを法則とは申すなり」

（島地一九—五、西六八五、東五二九）

信心の自然なることを法則と言われる。正しい法則である。「法則といふは始めて行者のはからひに非ず」。大法を信ずるものは、知らざるに広大の利益を得る、そのことの自然なるを法則と言われる。人間の我の計らいは、自然の法則に叶わぬ。故に広大不可思議の利益にあずかることが出来ない。無理だからである。無理ではいけない、自然の法則でなければいけない。

この自然の法則が一切の尺度になって、自然に様々のことがわかって来るのである。『大経』に明信仏智の世界において為得大利といい、不了仏智の世界において、為失大利と仰せられることも肯かれることである。零か満点かの問題である。計らわなくても、真実の教えを聞く者は、自然の法則に叶うて無上の功徳を具足するのである。智慧とは、大法に随順する心である。これやがて一切を正しく見る眼である。

真実の教えは、信心の智慧を成就して下さる。智慧の成就するところにのみ、真の道の華が咲く。人間の計らいではわからない奇蹟は、ただこの信心の智慧からのみ生まれる。奇蹟とは、決して、石から水が出たり、首を切られた人が生きていたりするような芸人の奇術のようなことをいうのではない。真の奇蹟とは、徳の世界、道義の世界においてのことである。今日まで人を苦しめ泣かせた存在が、大法の前にぬかづいた一念に、世の中を照らす光の中心となることである。智慧はそのまま、微塵世界に光あらしめたもう、尽十方無碍光如来の無碍の仏智なのである。仏智が人間の上に光って下さるのである。これにました奇蹟がまたとあるであろうか。私は、今日も毎日、この奇蹟の前に合掌している。このために心の底に、涙の泉の湧き出でぬ日が、近う近来に一日でもあったであろうか。私はどうすればいいのだ。御恩だ。御恩だと言ってみても足りない。どうしようもないこの心。

「釈迦・弥陀の慈悲よりぞ　願作仏心はえしめたる
　信心の智慧にいりてこそ　仏恩報ずる身とはなれ」

信心の智慧に入りてこそ、仏恩報ずる身とはなれ。頂けます。頂けます。智慧が私にあるとは思えない。本仏の大慈悲が身にしみ、大法の言々句々が骨髄にしみ、多くの同胞にとりまかれたるこの愚悪の我、何とも申し訳のない我が姿のみ見えることではあるが、御恩徳のみ天にも地にもあまることである。ああ真実の教えよ。一糸乱れぬ不滅の法則よ。我は智慧のみ光に照らされているよ。

貪欲（とんよく）のみのものを言う世界は暗い。三毒煩悩の暗い闇路にあって、しかもそれが暗いとも思わず、ただ眼前の苦楽に追われ囚われて、無意味と不満足とにやせ細って、消えてゆく幻を追う。その中に聞こゆる群賊悪獣の声、厭離（おんり）すべき悪知識を厭離せず、親近（しんごん）すべき善知識に親近せず、その中に聞こゆる悲痛なる愚痴、怒罵（どば）、嫉妬、反逆、諂偽（てんぎ）、呪咀（じゅそ）、等のうごめき、智慧の光なき悲しき世界が我らの前に展開する。悲しくなる痛ましくなる。こうして衆生は大悲のみ胸を焼くのである。み光の前にそれがわかる。

一。み親の上にあっては、尽十方無碍のみ光も、私の内にあっては、ほのかなる光である。善導が「闊さ四五寸許りなる可し」と仰せられたことも、さこそと肯かれることである。三毒の心は闇い、暗い心の奥をほのかに照らしたもう光。日月がただ孔穴の闇を照らし破ると違って、心の奥の闇を照破したもう光である。しかし、このみ光に遇うまでは、心の闇さえなかった。み光によって、照らし出された無明のすがたである。光によって闇を知るといえば矛盾のようだが、これが心霊の事実である。み光によって、心の闇の深さがわかる。ここに念仏行者の内に湛えられた悲しみがある。喜びが深ければ深いだけ。

一。本願がものを言って下さる信の世界では、善と思ったものまでが、有漏三毒の変形である。腹が立った時ほど人は善人になっている時はない。三毒の大蛇がまたしても、善人意識の鎌首をもたげる。それが、やがて、仏法を聞いて、それを口にくわえて振りまわす。それが自力の信である。自力の信には「得たと思う」心があって、心の闇はあり得ない。

　そうした八万四千の定散自力の心が、み光の前に、廃捨されて、三毒自身のありのままの相を、そのままに静かに照らし出されて、それを静かに照らし出したもうみ光のままに、安住する十八願の信の世界、極難信と言われる所以である。三毒がそのままの正体を顕す時は、み光のみ静かに流れたもう時、無我に大法に随順した時である。

　日光が照らすのは、物理的な法則によってであるが、仏日が照らしたもうのは、心霊の事実であって物理的な機械的な相ではない。教えによる自覚内観の成ずるまま、その自覚内観の線に添うてであるが故に、一律にということが出来ない。そこに宿善開発の問題が横たわる。教えは外より心耳に入り、宿善は心霊の内奥より開発する。

　であるから、一度、教えを拒むもの、内観を拒むものが、ものをいう時、如何とも出来なくなって千万年でもそこにとどまってしまう。

一。内観の一道、彼岸に通じ、教えによって心のトンネルが開通されたものは、心の奥が浄土の光に照らされる。浄土よりこの心の上に念々に満たされるものが、内より外に念仏となって顕れる。

　念仏が先に行って、自分が後から追いつこうとするもの。

　念仏が後になって、自分が先に行くもの。

念仏と我とが一体になって歩む人。

いわゆるお同行は、報謝の称名だとて、念仏はさかんに申しつつ、問題は解決されることなく後に残っている。何時もお礼の念仏に追いつこうとしている。

お寺さんは、多くの人が、お念仏よりも先に行く。わかったつもり、得たつもりで高くとまりつつ、実際の口や手足の動きを見ると、ぎこちない名利貪欲のみが先に行っている。だから何人集まっても、天狗ばかりで、ご讃嘆の声などは現われることが少ない。こうなったらなかなか一歩前進することさえむずかしい。いくら聞いても名利と打算の種にしかならない。

お寺さんでもお同行でも、真に聞き開いて頭の大地についた人、心のトンネルの通じた人は、仏智を得らるるが故に尊く拝まれる。お念仏と人、人法一如の尊さである。

一。「仏法はあらめなるが悪し」。仏法の信の世界は、いとこまやかなものである。普通の世界では許されることが仏法の世界では許されぬ。棒ほどのことも初めは針ほどにさえ見えぬ。後には兎の毛ほどのことが大山ほどに見える。兎の毛、羊の毛ほどの自力の心が、大山の如くに見えて来て、亡ぼしつくされてないならば、今は小さいようでも、後には山ほどに拡がって来て命とりになる。

一。誰も彼も初めは、華々しく仏法の舞台に登場して来るようである。それが、段々輝かなくなって、やがてどこかへ行ってしまう。小さき癌が身一ぱい拡がって。

善従(ぜんじゅう)は九十歳まで生きられた。そして七十、八十と年老いてゆくままに輝かれた。毎日善従のことを思うことである。それにつけて、今、念仏者として出発したこの人が四十まで生きても本願の親木から落ちないであろうか。五十まで生きても、六十、七十、八十、九十と生きても、更に、百、二百、三百年と生かしても、親木から虫熟(う)れとなって落ちないであろうか。考えさせられることではある。

法然上人の御弟子三百幾十人、その中の五、六輩をおいてほかは、みな、虫熟れになって落ちたのだ。そして、わが聖人のみは千万年生きのびられても、ついに親木から落ちない方なのだ。

じっと私の心を見つめて念仏する。恐るべし恐るべし。ああ、さびしい念仏の世界だ。


智慧のみ光よ、真実明(しんじつみょう)にてましますみ親よ。

大安慰(だいあんい)にてましますよりは、我には鋭き光炎王仏(こうえんのうぶつ)にてましませ。

歓喜光(かんぎこう)にてましますよりは、我には鋭き智慧光(ちえこう)にてましませ。

清浄楽(しょうじょうがく)にてましますよりは、超日月光(ちょうにちがっこう)にてましませ。

み親にてましますよりは、無上法王(むじょうほうおう)にてましませ。

安価なる歓喜に酔うて道を忘れんとす。

空華(くうげ)につどう多くの人にかかずろうて、ともすればみ光を忘れんとす。

願作仏心よ、熾盛なれ。

一。「然れば大乗の聖人・小乗の聖人・善人・悪人・一切の凡夫みなともに自力の智慧をもては大涅槃に至る事なければ、無碍光仏の御形は智慧の光にてまします故にこの如来の智願海にすすめいれたまふなり　一切諸仏の智慧をあつめたまへる御形なり　光明は智慧なりと知るべし」（『唯信鈔　文意』）　（島地二〇―一二、西七〇〇、東五四八）

「自力の智慧」とは差別の智である。大乗の聖人、小乗の聖人、善人悪人、一切の凡夫、それぞれの智慧である。差別の智慧では、差別に満ちた一切のものは救われない。如来平等の智慧、一切諸仏を全うずる平等の智慧、この智慧の光明によってのみ、あらゆる差別のものが救われるのである。

であるから、上は弥勒から下は我ら凡夫に至るまで、全て、自分の智慧、自力の智慧を廻らせて、平等のみ光に帰せねばならぬ。

凡夫の自力には本質的には無明があって智慧はない。その智慧でない「自力の智慧」を強く出すものほど世を暗くする存在である。人を泣かせる存在である。他力に帰したようでも、またしても久遠劫来の習気が出る。俺は出来る、わしはやりてだ、と。人が見れば、浄土の香りは隠れて悪い臭気が鼻につく。

人は尽十方無碍の光に照らされねばならぬ。絶対他力の世界がそこにある。煩悩の泥水が、自力によって力んで仏に近づくのではない。力みがなくなった時、寂静の光があるがままの泥水を照らしてあるがままを浄化して下さる。円融の徳がそこにある。

人間の持つものは、その長所さえ欠点である。初めに人に好かれたのがその長所なら、後に人に嫌われるのもまたその長所である。ましてその短所をや、欠点をや。であるから、衆生の持つ一切は、智慧のみ光の前に全否定されねばならない。智慧のみ光のみが一切を、あるがままの相において生かして下さる。私のどこかでこの智慧のみ光を拒んで、念仏より先に、自力がぬけ出して仕事をしてはいないか。本気で静かに、忠実に大法を聞くべきである。

全一な静かな徳の光は見えないで、単なる物知りに見え、お念仏の声の聞こゆる有難い人には拝まれないで、小賢しい敏腕家に見える人は、大法の薗(その)に入って、もう一度大地に沈黙して、ひれ伏して如来浄土の梵声(ぼんしょう)の前に一切を投げ出して、寂静の光に照らされねばならないであろう。

第六章　御同朋と共に

私は多くの人に会ったと共に、多くの人と別れた。
しかし今も多くの人と共に生かされている。
憶(おも)えば、別れた人の大部分は、私の不徳がその原因であった気がするし、
長い年月別れないで、共に念仏一道を歩ませて頂いたのは、
すべて仏徳(ぶっとく)のしからしむるものであった。
だが、十年前より、五年前、五年前よりも今日と、
わが周囲に集まりたもう人は、段々とより純粋な念仏の行者であるようである。
より深い歩みを成就(じょうじゅ)する同胞によってとりまかれることは
有難くも尊いことである。

一　狂風から夜晃に改名

私が「狂風」と号したのは、私が二十四歳の年でした。何故に狂風と言ったか。それを語れば長いことになりますが其頃の私は、私自体の無明煩悩も狂風そのものでしたし、大悲の風も亦私を根こそぎ動かす烈しい風でしたし、最初の念仏の夜も亦狂風吹きすさぶ夜でした。然しそれから十八年が経過して、私は今四十二歳になりました。少なからず其頃の私とは変わっています。茲に私にとっては懐かしくも亦可愛いい狂風の名を「夜晃」と改めることに致しました。之れひとえに、み法を求め、大信海に生かされ、念仏の境の静かに深まらんことを念じ、無明の大夜に影現し給う、法身無極の光輪、寂静の光に生かされんことを切念するが故であります。（『光明』第十八巻第五号「如来本願の真意（二十五）」の冒頭より。四十二歳）

二　創立二十周年を迎えて

感謝

年月の流れは早いものである。

光明団が生まれて二十年。八月一日から一週間、二十周年記念会を開催することになった。私にとっては感慨無量のものである。このごろ私は毎日、過去を追憶し、現在を憶(おも)い、深い内観反省にひたらされている。よくも続いて下さったものである。まず私におしよせるものは、深い感謝である。本仏世尊(ほんぶつせそん)、聖人に向かってのことは、言うまでもないことながら、多くの同胞が、心から助け、一緒に精進して、助けて下さった。その同胞のお力の賜である。今日あることは決して私の力ではない。多くの恵まれた同胞のご精進・ご報謝・信力(しんりき)の総和に外ならない。

今私は、多くの御同朋御同行(おんどうぼうおんどうぎょう)の御念力、証誠護念(しょうじょうごねん)を頂いている。念じて下さる多くの同行善知識(ぜんちしき)がある。私の地上における寿命さえ心配して下さる御念力を念(おも)う時、私の胸の底には、それ故に熱いものが込み上げてくる。そしてその背後に、本仏の大悲の本願力があることを憶う時、全我を投げ出して合掌せずにいられない。私は幸せである。同胞は、如来より賜うたる私の全てである。仏の本願力は、世尊聖人の真実教を通して、出世の本懐を満足させて下さった。

御同朋は、大地に於ける究極の世界である所の、同一念仏無別道故の真実相を具体的に知らせて下さった。真実教の真実であることを身を以て知らせて下さったのも、念仏の世界が、最後の尊さであることを立証して下さったのも、経典の文字の生きていることを身を以て説明して下さったのも皆、同胞であった。その同胞が、如来浄土の心を心として、今、人間業苦の中に、本願円頓一乗の至境を身を以て顕現したもうを拝む時、合掌せずにいられようか。

私は今、念仏の同胞、菩薩大士に向かって合掌して念仏の中に深甚なる感謝を捧げずにはいられない。

信証

浄土門に帰して二十一年、牛の歩みと言いたいが、蝸牛の歩みにも似た、まことに遅々たる歩みではあった。細いあるかなしかの歩みではあった。しかし細々ながら、お念仏の二十年が続いて下さったことは有難いことであった、嬉しいことであった。何にも替えられない有難いことであった。これひとえに、不断光仏の本願力の御回向である。

噫、続いていてよかった。誠に続いていてよかった。私はこの二十年に、数えつくせぬ尊いみ法を頂いた。八万四千の法門蔵、悉くこれ六字名号の徳ではある。名号六字を獲得する所、一切功徳蔵たる大行の徳なるが故に、その中にこもっているのではある。しかし、新しく一句一句の大法を聞かせて頂く時、大信は豊らかなる喜びとなる。

如来の教法は真実にてまします。『大無量寿経』は聖人の宣言の如く唯一の真実教にてまします。如来の本願のみ真実の宗教にてまします。そのことが、ほのかではあるが誠に確かに知らして頂くことが出来た。

懺悔

私は悪業深き存在である。

罪悪深重　煩悩熾盛の悪衆生なればこそ、人生五十年が業苦波乱に満ちたものなのである。

回顧すれば、ただ煩悩の波浪高かりし生死の海の航行にすぎず、合掌五体投地して懺悔し奉る。

願わくば如来回向の本功徳力を以て、平等一切に施し、同じく菩提心を発して、共に安楽の国に往生せん。

回顧

回顧すれば、昭和六年夏、鳥取県東郷温泉において、講習会を開催して満七年を経過した。昭和五年の夏までは、備後の鞆の浦の明圓寺において講習会を開いていた。この時代までは、団は大衆を獲得することに進んでいた。しかしそれは、風中に灰を播くが如きものであったことがわかり、急角度に方針は変わった。大衆ではない、私だ。私自身がもっともっとみ法を頂くことに懸命にならねばならない。大衆をどうするかよりも前に、私は私であらねばならない。誰をどうするかよりも、世間から何と言われるよりも、何が何になるより前に、私が私でなくてはならない。教人信より先ず自信、化他よりもまず自行だ。そうだ、自行の臼をつくのだ。私の周囲には縁のつながる人がある。私はその人の一人一人を明らかに見ようとした。そうして「来るを拒まず去るを追わず」因縁のある人と一緒に、より明らかにそして静かにお念仏の一道を精進しようと決心した。臼の中には、一升あろうと五升入っておろうと、不断に臼をつけばいい。私は懸命に道を求めねばならない。

五周年大会は大正十二年四月、済世軍の真田増丸師を招聘して飯室で挙行された。それは誠に誠に大会であった。十周年大会は龍谷大学の亀川教授に来て頂いて広島市の芸銀ビルで開催された。それは五周年につぐ大会であった。しかして昭和八年十二月の十五周年記念講習会は、静かなものであった。街に宣伝もせず、あの八丁堀の借宅で形は極めて静かに、しかし初めて真剣な空気の中で一週間、講習会が開かれた。私は道綽を講じた。形において縮少された、しかし内容において充実しはじめた。

その年の暮れに、まだ造作際中の今の本部に移った。本部に移ってから足かけ六年、毎月の例会講座三日間、年三回の一週間の講習、一月の教育部会、御正忌等、有難い会座を開かせて頂いて現在に至った。私の心がけさせて頂いたことは「世尊聖人のみ教えに私を入れないで頂こう」ということ一つであった。そしてそれが、どれほど有難いことであるか、どれほど有難いことになって行くものであるかということを、事実の上に知らせて頂いたことは、何といっていいかわからない有難いことである。

一介の俗

私はついに僧侶にならなかった。十年も前には、私にさかんに僧侶になれと奨めてくれる人達があった。しかしどうしてもその奨めてくれる人の言葉を肯くことが出来なかった。それは光明団が社会的に延びてゆく為にも、私の生活が楽になるためにも、いわゆる常識的な考え方をする限り、僧侶になる方がよかった。しかし私は、世の中が認めるの、金がたくさん入るの、大会から大会の講師に招かれるの、そうしたことで僧侶になることは出来なかった。そして色んな考えが遂に、私を僧侶にしなかった。そしてそれをよいことをしたと今でも思っている。と言って何も僧侶がいけないというのではない。

私の心の底の声が、微かではあるが汝は大法の為に死ねとささやいた。そうと心が定まって見れば、大した問題は世の中におきて来ないことがわかった。追われたら追われてゆく、招かれたら招かれてゆく、疑われたら疑われてゆく、み仏のみは知っておられる。誰がするのか、私の悪いことも愚かなことも、デマ放送をするように、今でも随分やられているらしい。それがほとんど愚にもつかないことばかりだ。それも聞くと一寸はむかっとするが、しかしそれよりも、私にはもっともっと大きなことがある。それは、大聖聖人のみ教に不忠実であってはならないことであった。世にも世にも一大事とはこのことである。もちろん如来大悲本願には微塵の疑惑なく、念仏をよろこぶ身でも、よくよく考えて見れば、そこもここも相すまぬことだらけである。

何時しかに私の大事はそれだけになった。蓮如上人は「御門徒の進上物をば御衣の下にて御拝み候」（『蓮如上人御一代記聞書』）（島地三〇―四四、西一三二九、東九一一）とあり「御自身の召物までも御足に当り候へば御頂き候」（同上）とあるが、私どもの如き凡俗の身は一体どうしているか。こうして聖者の生活を頂けば、相済まぬことだらけである。

私にあることを人が言うのは当然である。無いことを言われるのは私の宿業である。一切あるがままを黙って頂いて、一筋の道を歩ませて頂けばいい。こうした思いで生きさせて頂くと、世の中の誤解や非難の為に夜も眠れないというほどのことはない、案外やすやすと今日まで生きさせて頂けたのであった。

ありのままを見とどけて

褒められても非難されても、誤解されても正解されても、盛んになっても衰えても、あるがままを見とどけてゆく、しかし自分の歩ませて頂くことは力いっぱいやらせて頂く。力いっぱい精進させて頂いて、そして後は一切を成り行きにまかせてゆく。そうした心境は、いつも私をゆとりのあるものにして下さった。したがって、ずいぶん力こぶを入れた念入りな反対運動があっても、私は決して耳や眼を覆わないで、見えるだけ見せて頂くし、聞けるだけ聞かせて頂いてゆく。けれどもその為に、私の歩む道が、広くなろうと、狭くなろうと、私はそれを見とどけてだけ行けばいいのだから、ちっとも苦痛ではない。それを通して、人生の暗の深さ、暗の相を知らせて頂き、かつ、そこに私に因縁のある一人の美しい白蓮華（びゃくれんげ）が拝まれたらいいのである。

事実において、そうした時には、そこには必ず、如何なる悪魔の暴力にも滅ばない道の戦士が生まれている。金剛の行者が現われている。それは二十か年を通じての有難い経験であった。

盛衰を越え、毀誉を越え、苦楽を越えるということが、一切の悪魔をして便りなからしめる唯一の道であることを世尊聖人によって教えて頂いた。したがって私に、こうしたら世俗が歓迎するの、こうしたら世に認められるの、こうしたら攻撃がなくなるのと、賢く世の中を渡ることを言って聞かせてくれたとて、それは無意味なことである。正しく念仏道を歩めと叱責してくれる声だけがご親切である。

世の中を上手に渡ろうとすることがすでに、無意味な安逸を求めることで、第一義の問題を棄てた歩み方なのである。こうした大法第一の歩み方をしたら、後には橋の下で菰をかぶって死ぬようになるかも知れないと思った。しかし事実は反対へ反対へとなって行って、同胞の御親切がとても私を橋の下へやりそうにもない、いささか拍子ぬけがするし、気味の悪い思いである。

いつもありのままを見とどけて、しかも清浄の大法、清白の法に、情の垢を入れないで聞かせて頂く。私自身の暗の深さ、私の周囲の人の真の相、世界のほんとうの相が知りたい、それがわかればわかるほど、大法の真実と、その尊いことがわかって来る。私が俗人であったが為に、こうした私の願いも十分満足させて頂いたようである。何故ならば、法衣を着ておれば、七難を包み、十悪を覆うことが出来、随分おかしな者でもそのまま通れるのに、私にはそれが許されず、法衣には味方する人でも、俗と見れば刃を向ける、そうしたことは私だけに知らせて頂いた有難さであった。

清白の法

だが、俗人が私の味方でも敵でもないように、僧侶もまた味方でもなく敵でもなかった。したがって私は仮想敵国を造って運動の対象にしたりしない。既成教団に対しても、私は敵対行動をしない。

マルチン・ルーテルのように、外に向かって攻撃文をつきつけるべきではない。それはいつも内に向かってなされるべきである。我等の歩みにむかってなされるべきである。したがって私は、私の周囲、私に近い人にほど厳しくせまる。決して人間的なものを出して狃れあってはならない。一緒に長い間歩めば歩むだけ、大法によって結ばれていなければならない。

人間的な愛によって結ばれた者は、一時の感情はとても美しいようでも、必ず後は汚いものになる。であるから、愛によって人を引きつけ、人間煩悩の喜びそうなことで人を味方にしようとしてはならないと共に、憎によって逃げてゆく人を、愛によって引きとめようとしてはならない。私は又その通りにして来た。いくら心安い間であろうと、道ならぬことをしてしかも何とかそれを懺悔もせず暗に葬ってもらってかじりつこうとする、軌道に乗らなければ、お別れである。地位を与えなかった、親切にしてくれなかった、何とか彼とか言いつつ去ってゆく人。私は悲しくともそれを追わずに、私の道を歩む。汚くても、大法をまげても、そうしたものをそのまま許すということは、全体が垢づき泥まみれになることである。

法は清白である。決して、清白の法以外に求めてはならない。清白の法以外に与えてはならない。清白の法以外によって結ばれてはならない。それが私の心の底の願いであった。清白の法によらずして、人と交じり、人を集めることは恐ろしいことである。こうした一見冷たい歩み方は、冷たそうに思われて事実は決してそうではない。もし温かさを求めるならば、一切を超えて大法の中に生き、大法と大法とによって集まって、その上にあるべきである。そして我等は、その人間の愛を越えた彼方に、人間愛によって結ばれた以上の永遠の大悲の光懐を知った。そこには傷つけ合うことなくして、しかも愛しあう、同一念仏の兄弟の世界があった。事実において、我等の集まりほど温かい有難い世界はない、との声を聞くことがあるが、この世界のみ浄土に通ずる世界である。

弟妹

二十周年記念式典は、八月四日午前八時より、いとも厳粛に、衷心の喜びと願いとを持ちながら、しかしながら至って静かに行われた。この朝、一、二の事故があったために、かえって軽々しく浮かれることを許されず、涙も笑いも封じられて、しかも新たなる出発の門出として極めて有意義な式典であった。
この度の記念講習会に当たって、私の第一の喜びは、弟妹たちが、遠くは、満州国、東京から馳せ参じてくれて、七人の兄弟姉妹が悉く揃い、この記念講習会に列して聞法してくれたことである。
「一、蓮如上人御病中の時、仰せられ候。御自身何事も思召し遺さるる事なしと、ただし御兄弟の中、そのほか誰にも信のなきを悲しくおぼしめし候」（『蓮如上人御一代記聞書』）（島地三〇—三一、西一二九九、東八九三）
蓮如上人すらこの悲しみを持ちたもうのである。信心は唯宿善開発の問題であるとは言え、骨肉の兄弟が、念仏せざることは悲しいことである。我等如きの俗悪、望むべからざることと思っていたのに、兎にも角にも、七人の兄弟及びその一家眷属が共にこの聖会に列して心より聞法し念仏してくれたことは誠に有難くも嬉しいことであった。願わくば三宝の力、彼等をして真に念仏せしめたまわんことを。

大法の如く

二十周年を迎えても、新しい道は見出せない。所詮今まで通り、清白の大法を求めて独り歩ませて頂くだけである。一切を越えて「唯仏一道清くます」（『正像末和讃』）九十五種の外道の声に動乱せられることなく大法の示したもうが如く歩ませて頂くことである。

微々たることながら、我が二十年の聞法の歩みは、大法の如く信じ、大法の如く生きさせて頂くこと、そこにのみ、大悲そのままの世界の展開されることを如実に知らせて頂いた。強いて如何に歩まんとするかとの問いに答うるならば、大法の如くというより外にはあり得ない。

順境の日には、大法の如く、逆境の日には、更に大法の如く、行き詰まった苦しい日にはいよいよ大法の如く、それでも行き詰まればいよいよ大法の如く、人来れば大法の如く、人去ればいよいよ大法の如く、賞讃にも大法の如く、非難にも大法の如く、一切に大法の如く、如実に仏智の光に相応し、随順して、一貫の歩みを成就させて頂きたい。これ誠に唯一にして、二つあることなき我が衷心の願いである。

止まること勿れ

秋が来れば、木の葉は、紅葉して親木を去って散ってゆく。時には、毛虫に葉を喰われることがあり、木の髄を虫に侵されることがあり、小鳥に巣をかけられたり、糞をせられたりすることがある。然し木にして生命が通うているならば、葉が落ちても心配することはいらない。必ず後には新しい芽が出来ており、小さい枝は大きくなり、梢には若葉が茂って来る。風が来て枝を折ろうが傷つけようが、生命さえ通うているならば、そうしたことを通して木は大きくなり美しくなる。春、夏、秋、冬があることによって、太くなり堅くなり、美しくなる。落ちる葉を追うことなかれ。人間の情実によって回顧することなかれ。山の奥、谷の間、街の中、島の影の念仏の希有華を拝んで、名利の為に動かざれ。尊きは、如来回向の慧命であり、大法であり、道義であり、宗教である。

宗教は、自覚である。強いて人を得んとするなかれ。追従を用いず、妥協を要せず。教権に非ず。弥縫に非ず。ただ、正直に教法の如く聞き、あるがままに合掌して、直ちに進んで止まることなかれ。

名利

善導大師、雑行雑修について十三失を挙げたもう中にいわく、

「十、相続して彼の仏恩を念報せざるが故に。
十一、心、軽慢を生じ業行を作すと雖も、常に名利と相応するが故に。
十二、人我自ら覆うて同行善知識に親近せざるが故に。
十三、楽みて雑縁に近づきて往生の正行を自障障他するが故に」。

絶対他力の大信は、恩徳報謝の生活にあり、もし念報仏恩の念なくば、

一　仏の本願に相応せざるものであり、

二　世尊の教と相違するものであり、
三　恒沙諸仏の護念証誠の仏語に順わざるものである。
この三仏に対して不忠実であるものは、それによって、雑行、雑教、雑人、雑処等の「雑縁に乱動せられて正念を得ざる」ものである。この「雑縁乱動して正念を失す」ことを総じて第一の失にあげられている。

　先にあげられたる十、十一、十二、十三こそは特に頂くべき金言である。聖人はこの四か条を、真門二十願の失として挙げたもうた。二十願の念仏の世界は、法は正行にして、修する心が、雑修である者のことである。正法を挙げつつ、自らは正法を修せず、浄土の三部経を読誦し如来浄土の徳を観察し、弥陀を専礼し、名号を専称し、弥陀を讃嘆供養する、この五種正行を表にして、しかも内信心の如実ならぬものを、雑修自力といわれるのである。正行を修する者、必ずしも正修専修ならぬことを示したまいしは、ただ三国を通じて、今家の聖人のみなるに、その御苦労もこれを水泡となし、寺に正行あるかに見えて、雑修のみ多く、念報仏恩の相続なく、心に軽慢を生じて、仏法を修しつつ、名利と相応せしめんとす。障道の名利、この名利を追うこと、これ誠に雑修の一大特色である。

　自ら恃んで他を軽んずるを軽慢という。我なればこそ、この功徳を修する、我なればこそこの法を……この軽慢、汝の最大の敵である。名利は、貪欲よりおこる愚痴の一分である。あさましい愚痴である。見よ。身、仏道に事えつつ、その心内ひそかに、名利を追うあさましい相を見よ。意想間断して一心ならず、一貫相続の節操なく、名利におびやかされるかに見ゆれば、前の行者も今は娼婦の如く、右顧左眄して色を変え、一貫の行歩を失い、悪魔をして便りあらしめ、その乗ずるところとなって、貪瞋諸見の来たって誘うままに、雑縁に近よる。

足もと崩るるに至って、焦燥していよいよ姑息、追従、嫉妬、懇親、策動、隔執と悪心八万四千と乱動して「往生の正行を自障障他する」に至るのである。価値の評価乱れて、己れを支持する一片の枝葉も糟糠も百万力に見え、仏の金言も不退の菩薩も、これを弊履の如く捨てて顧みず、これを「人我自ら覆うて同行善知識に親近せざるが故に」（『往生礼讃』）と仰せられるのである。「人我自覆」とは、俺が、私がと我がものを言い、人にまけまい、人に劣るまいと我情をつのることであり、自ら覆うとは、善悪是非邪正等の見分けのつかぬことである。見わけがつかねばこそ、師恩を忘れて、同行、善知識に遠ざかり、悪知識、雑縁（異学、異見、別解、別行、悪見人のこと）に近よるのである。されば善導大師は「修レ雑不二至心一者千中無一」（雑を修して至心ならずば千中無一なり）と仰せられた。

我等は今、新しく出発せんとす。盛大を求むべからず。多人数を求むべからず。正しさを求むべし。仏法を仰ぐべし。名利を追うべからず。光明団にあること、世俗の名利と矛盾するが故に苦しむ人は、この機会に脱退せられて然るべく、いよいよ仏道に精進し専念して、迫害をも、非難をも、貧困をも、大信心のうちに超克(ちょうこく)し、一生を大法の為にあらしめる人のみ、我等が隊伍(たいご)に残りたもうであろう。

大衆は、心を打つ真実の菩薩道を求めて、教権のもとに屈従せず、仏法を聞いて布教師となろうとせず、自己の社会的立場を守るために大法を歪曲せず。直ちに大法を聞いて共に鳴って、踊躍歓喜(ゆやくかんぎ)する。菩薩は人間の野にあり、仏法的立場の固守者(こしゅしゃ)の中にあらず。菩薩の徳草(とくそう)は、浄土の徳風になびいて、煩悩の悪風によって動かず。我等は今、僧を求めず、俗を求めず、男を求めず、女を求めず、学者を求めず、無学を求めず、唯(ただ)大法を求めて進まんとす。

俗典にすら「富貴も淫すること能(あた)はず、貧賤も移すこと能はず、威武(いぶ)も屈すること能はず」と言うではないか。剛梁(ごうりょう)なるべからず、柔弱(にゅうじゃく)なるべからず、柔軟金剛(にゅうなんこんごう)の清浄(しょうじょう)真実なる大心海に安住して唯一道を精進せん。

結語

回顧すれば八丁堀の旧本部に於て十五周年の記念聖会を開いてより五年、この五年間はまことに、本団をして今日あらしめた、まことに重要なる歴史の成就であった。その昔にたとえ、大講演会に千人の人を得るとも、それはただ、千人にして千人であった。しかるに、十五周年においてはじめて、百人にして一人たるの風格を成就しはじめ、今にしてようやく、集まる者は、同一の信火に燃え、大法によって一体たるを得るに至った。ここに於てわれらは次の如き結論と確信とを得ることが出来た。

「ただ、大法の如く歩んで恐れざれ。真実のみ末通りたもうが故に」

慈父、真実の教を説いて永遠の大道を顕示したまい、悲母、光明の大悲懐に摂取して安住せしめたもう。慈父悲母の善巧のみ我等が無上の信心を発起せしめて、一切を超えて我等をして清浄願往生心の白道にあらしめたもう。

大法に身命を捧げよ。何等の報酬を求むることなく、大法の為に全身を捧げよ。大慶喜汝にあり、大歓喜汝にあり。汝命を捧げて歩め、必ず命を捧げる人汝と共にあらん。大法の中にあって算盤を弾く僧侶の周囲には、算盤を弾く人のみあり。正法を己が名利の具にせんか、そこに集まる者もまた、不浄雑悪の人のみであろう。

心内に巣くう、自力我執我慢にして一度、名号の真実によって、全否定の大鉄槌を受け、「無我の大信」を成就せんか、そこに、如来浄土の光悦は開き、彼岸の真実は、現実人生の真実内容となる。一切道義の根底は、ここに成就して、親に対して孝となり、親の道、夫の道、婦の道、行くとして可ならざるはなきに至るであろう。我等はかつて、本仏に対して信成就せる者にして、この世の親に対して不孝なる者を一人として見たことがない。道の道、一切の道をして成就せしむる、根元である。されば経には「信は道元功徳の母」と説かれたのである。

道義不退の菩薩は、妄念妄想を妄念妄想と知って世の雑縁にあるも、如何なる時と処とを問わず不退の道義を展開するであろう。真実のみ末通る。無条件に真実のみ末通る。

「ただ、大法の如く歩んで恐れざれ。真実のみ末通りたまうが故に」

我等が光明団の行歩をして、この一句の如くならしめたまえ。我等が団員をしてこの一句の如くならしめたまえ。わが信條（しんじょう）の全てである。わが団の歴史をして、変易生死（へんやくしょうじ）せしめたまえ。

されば、我は重ねて言う。

「順境の日には大法の如く、逆境の日には、更に大法の如く、行き詰まった苦しい日にはいよいよ大法の如く、それでも行き詰まればますます大法の如く、人来れば大法の如く、人去ればいよいよ大法の如く、賞讃にも大法の如く、非難にも大法の如く、一切に大法の如く、如実に仏智に相応し、随順して、一貫の歩みを成就せよ」

これすなわち今日の我等の全てである。

（『光明』第二十巻第六～九号）

三　新しく出発するに当たって

この四月から宗教団体法が実施せられるに至ったので、我が光明団もまた宗教結社としての届け出をすませた。

それにつけて、この際、各支部を全て解消することにした。それは支部といっても、これまで、私を招いて仏典の連続講座を開いている地方を便宜上支部と言っていた程度なので、この際、新しい団則にしたがって、支部を置きたい地方には、再組織することにした。今までとその精神に於て、何ら変更が生じたのではないが、改めて団の真精神を闡明しておきたいと思う。

（一）「正法の如く」ということ。

本団も生まれてすでに二十二歳になった。毒々しい迫害や、誤解や非難や攻撃や、讃美や、様々なことに遭いはしたが、しかし今日まで育って来たことは、ひとえに、広大なる御恩徳の致すところであり、正法の前に強かった同胞たちの精進の賜である。

私の今日まで、唯一つ奉じて来た信条は「正法の如く」ということであった。そしてそれが如何に尊くも有難いものであるかということが、いよいよ明らかになった。

正法の中に人間の勝手な手垢を入れること、人間の煩悩の心に妥協して、正法に水を入れ、独断や勝手やを混入すれば、多くの人に共鳴を得られるかの如くであり、それが一番大衆の為には近道であるかの如く考えられる。しかるに、正法を正法の如く頂き、それを人にも伝えれば、難解だといい、異解者だとよばれ、人は誰も聞いてはくれないかの如く考えられる。しかるに事実はそれと真反対であった。私は私と共に正法の如く歩んで下さる一人を求めた。
しかるに一人を求めてここに十か年間、私の周囲には何が起きて来たであろう。私の周囲には、そして全国の遠近に、道そのもののごとき希有（けう）最勝（さいしょう）の人が至る処に出現して、正法のみ尊きこと、如来の実在しましますことを身を以て証明して下さった。私は多くの同胞を頂いた。私にとってこれに超えた喜びがあろうか。

真の奇蹟は、ただ正法の威徳の薗（その）にのみ生ずる。

我が団の歩みが、もし世に必要ならば、それはただ正法の如く歩ませて頂こうと考えるが為でなければならない。故に、団の礎石は「正法に対する正しき認識」の上にのみおかるべきである。

（二）「正法によってのみ結ばれる」ということ。

我等らは、我等同胞の間に、正法以外のものにものを言わせて、それによって結ばれてはならない。これは私の持言の一つであった。貪欲（とんよく）によって結ばれるもの、営利や、名利や、策略や、山気（やまけ）や、対立や、そうしたものによって結ばれるものは、必ず、別れねばならぬ日が来る。瞋恚（しんに）や恨みで雷同する運動、我慢や意気や、そうしたものの最後は、すべてが必ず悲惨である。正法以外で結ばれてはならない。たとえ、非難迫害の重囲の中に集まった我が同胞であろうと、そこで正法を聞き、正法を讃え、正法を生きること以外に、策略をもって事を議し、三毒の弾丸を放って戦ってはならない。念仏の中に一切を受け取れ。正法以外に、結ばれてはならない。逃げてゆく人を利を以て誘ってはならない。義理人情でくくってはならない。人をまねくに、利を以てしてはならない。

ある一人の青年に向かってある住職は、それを引き止めるに、「こちらには栄達と大きな飯びつとがある」ことを説かれた。私はこの人に、私の所に来たいなら「橋の下に菰を被ってもいい覚悟、道のためなら餓えてもいい覚悟、大法のためなら死んでもいい覚悟」を求めた。大法以外を以て人を縛ろうとしたり、縛られたりしてはならない。誰も彼もが、合掌して、正法を受け取り、所有しようとしないままが、自然に聖なる白線によって貫かれていてのみ、真の団結である。同胞である。我等は正しい正法の智慧によってのみ結ばれていなければならない。こうした結ばれであってのみ、内と外とに何が起ころうと永遠に離れることのない、浄華衆となることが出来よう。我らの世界には今それが尊くも拝まれるに至った。いよいよこの一道を歩ませて頂かねばならぬ。

(三)「正法の紹隆以外に団の発展を求めぬ」ということ。

『蓮如上人御一代記聞書』には、

「一、一宗の繁昌と申すは人の多く集り威の大いなる事にてはなく候　一人なりとも人の信を取るが一宗の繁昌に候　然れば『専修正行の繁昌は遺弟の念力より成ず』と遊ばされおかれ候」

（島地三〇一一八、西一二七一、東八七七）

とある。まことに、人の多く集まり、威勢のいいことが繁昌ではない。一人でも内に、不滅金剛清浄真実の聖火の燃える信の人が誕生することが繁昌である。この遺訓の通りに、まことにこの通りに頂かねばならぬ。我等は決して勢いの盛大を求めてはならぬ。しかしながら、正法の紹隆を願わねばならぬ。

正法は必ず人を求め、人の上に生きて、その自覚を通し、念願を通して、世に実現されてゆく。これを「遺弟の念力より成ず」と仰せられたのである。正法をぬきにし、遺訓を無視して団の勢力を拡大しようとしてはならない。しかし正法自爾の威力によって、大信の人を生じ、それを通して我等の歩みが拡大されることを怖れてはならない。

宗教家は多く一つの錯覚を持つ。自分だけが正しくて、他は間違いだと思うことである。したがって、自分が寺を造ったり、会をはじめたりすることは、正法の為であって、他人がそれをすることは、名利のためであると考える。それは「正しい認識」ではない。自分もこうした間違いをしてはならないし、こうした間違った考え方の前に、「いい子」にならなくてもいい。もし有縁の人々が正しく正法の如く歩もうとする時、それに愚かな迫害が加えられても、それに対抗して毒をもってしてはならないが、それを怖れて、歩みを停止するが如きことがあってはならない。雨にも風にもそのままの中に、生きぬく巌上（がんじょう）の松の如く、念仏の一道を生きねばならぬ。

正法の紹隆を願うべく、団の勢力の大なることを求めてはならない。しかし正法の前には、死をも覚悟して歩まねばならない。その上での興亡は仏天の御計らいにまかすべきである。

（四）「正法に生きる者への賞与は正法のみ」ということ。

宗教団体法によって、本団にもまた、教師を任命することになった。そしてその資格を、中等学校卒業以上、又は同等の学力があって、五か年以上主管に師事するものにして、思想健実信念堅固なる者ということにした。念仏も申さず、深き道心もなく、ただ一定期間学校に通えば資格がもらえる、そうした生活の手段としての宗教教師を一人も我が団には生ぜしめぬが為である。五か年の精進を要すること、その間には、大信決定（だいしんけつじょう）して一生を大法に捧げて悔いない人が出来るであろう。

正法に事（つか）え、大悲伝普化（だいひでんふけ）の聖業（せいぎょう）に参加する者には、正法以外には褒美も、賞与もいらぬはずである。仏家に名利は禁物である。決して正法に生きる者に正法以外の賞与を出してはならない。位を造ってはならない。位階のいる者は位階のある処へ行くべきである。我等の世界には、正法に生きる者への賞与は、なお正法を恵まれることであることに満たされ、たがいに礼儀をもって和敬の尊さを顕現しなければならない。これ本団教師の真面目（しんめんぼく）である。

（五）―正法のみ憑む（たのむ）」ということ。

正法のみを憑んで生きるということは、信心の智慧のみよくすることである。深い道義的文化的存在のみがよくすることである。権力に依ってはならぬ。金力によってはならぬ。今も開けぬ田舎にゆけば、「言うことを聞かねば葬式に行ってやらぬぞ！」と、愚にして善良なる人に対して、昔のローマ法王の如く教権を振りかざして恫喝している御住職があるということである。正法のもの言わぬ地獄の沙汰である。

我等は雨にも嵐にも、正法によって身を守護されて生きねばならぬ。烈しい風雨に吹かれて消える火は消える。しかし如来常住（にょらいじょうじゅう）の本願力に住持（じゅうじ）せられる聖火のみは、何を以ても消えぬであろう。烈しい風もまたよきことである。真なるものはいよいよ燃え上がるであろう。正法の使徒にはただ謙忍（けんにん）の一道があるばかりである。

幸いにして宗教団体法においては、教団は許可制であり、結社は届け出ですみ、教団には国家の保護も厚く、結社には保護も優遇も薄いようであり、結社の中にはインチキなものもあるであろう。したがって注意監督の目もその方によく光ることであろう。よいことである。もし中味の腐ったものが、手厚い保護の中におかれでもすれば、それは恐ろしいことである。腐敗堕落は、正法なき安逸の中に醸(かも)されることである。形のみ残って命の滅びる因がそこにある。法の精神は、決して正しいものを殺さんがためではない。我等は安心していよいよ一道を精進すべきである。

真実の教法は、人の上に生きて人生の事実となる。真実のみが末通る。真実のみが末通る。真実の正法を力とし、正法を求め、正法に生き、正法のためのみに我等の一生を捧げて行こう。

◆住岡夜晃著作出典一覧◆

本書もくじ	*『全集』収載巻	初出	著作年
第一章　一筋の道			
一　唯一人の人を	第七巻	光明21巻4号	一九三九（昭和十四）
二　真の生き方	第十一巻	聖光9巻5号	一九三六（昭和十一）
三　真実明に帰命せよ	第十六巻	聖光10巻10号	一九三七（昭和十二）
四　念仏中心の家庭 ※家庭の和楽	第十一巻	聖光10巻1号	一九三七（昭和十二）
五　生活の純化	第七巻	光明20巻12号	一九三八（昭和十三）
六　よろこびと生活	第十六巻	聖光12巻11号	一九三九（昭和十四）
七　智慧と報恩	第七巻	光明22巻5号	一九四〇（昭和十五）
八　一筋の道	第六巻	光明18巻9号	一九三六（昭和十一）
第二章　正法に忠実なれ			
一　泥中の蓮華	第十一巻	聖光9巻8号	一九三六（昭和十一）

＊『全集』：『住岡夜晃全集』　※：初出タイトル

二　足下を見る	第十六巻	聖光10巻7号	一九三七（昭和十二）
三　讃嘆	第十一巻	聖光10巻1号	一九三七（昭和十二）
四　自他の尊重	第十六巻	聖光11巻4号	一九三八（昭和十三）
五　正法に忠実なれ	第十六巻	聖光12巻4号	一九三九（昭和十四）
六　尊敬	第七巻	光明21巻12号	一九三九（昭和十四）
七　超日月光	第七巻	光明22巻6号	一九四〇（昭和十五）
第三章　回向のみ名			
一　称名念仏について	第六巻	光明18巻11号	一九三六（昭和十一）
二　回向のみ名	第十一巻	聖光9巻7号	一九三六（昭和十一）
三　御恩	第十一巻	聖光9巻5号	一九三六（昭和十一）
四　護念と不退	第七巻	光明19巻12号	一九三七（昭和十二）
五　今日一日を	第十六巻	聖光12巻4号	一九三九（昭和十四）
六　念仏と心の波	第十六巻	聖光13巻6号	一九四〇（昭和十五）
第四章　信をとらぬによりて悪きぞ			
一　精進と懈怠	第十一巻	聖光9巻1号	一九三六（昭和十一）
二　頼りになる者	第十一巻	聖光10巻2号	一九三七（昭和十二）

三　感謝寸言	第十六巻	聖光10巻12号	一九三七（昭和十二）
四　信をとらぬによりて悪きぞ	第十六巻	聖光11巻3号	一九三八（昭和十三）
五　第一義の問題	第十六巻	聖光11巻6号	一九三八（昭和十三）
六　信仰は生活であるということ	第十六巻	聖光12巻2号	一九三九（昭和十四）
七　真実を聞く心	第七巻	光明21巻3号	一九三九（昭和十四）
八　この金言に依りて	第七巻	光明22巻1号	一九四〇（昭和十五）

第五章　如来本願の真意

一　いらないこと	第十一巻	聖光10巻4号	一九三七（昭和十二）
二　旅より家郷に来るもの	第七巻	光明20巻2号	一九三八（昭和十三）
三　供養と求道	第七巻	光明20巻3号	一九三八（昭和十三）
四　愛に随える凡夫の道	第七巻	光明21巻4号	一九三九（昭和十四）
五　誓願力	第七巻	光明22巻2号	一九四〇（昭和十五）
六　浄土の大菩提心	第七巻	光明22巻3号	一九四〇（昭和十五）
七　学仏大悲心	第十六巻	聖光13巻2号	一九四〇（昭和十五）
八　智慧のみ光	第十六巻	聖光13巻3号	一九四〇（昭和十五）

第六章　御同朋と共に			
一　狂風から夜晃に改名	未収録	光明18巻5号	一九三六（昭和十一）
二　創立二十周年を迎えて	第七巻	光明20巻8号	一九三八（昭和十三）
三　新しく出発するに当たって ※正しき認識（創立二十二年）	第七巻	光明22巻4号	一九四〇（昭和十五）

◆住岡夜晃・真宗光明団、関連出版物◆

書名	発行年	発行所	内容
住岡夜晃全集（全二十巻）	一九六一〜一九六六年	真宗光明団本部	住岡夜晃の全著作
住岡夜晃先生（上）	一九八四年	真宗光明団本部	自伝・書簡・遺訓・年譜
住岡夜晃先生（下）	一九八一年	真宗光明団本部	伝記・追憶・座談会等
難思録	一九七七年	真宗光明団本部	昭和二十三、二十四年頃の晩年の著作
闡光録（上、中、下）	一九五〇〜一九五一年	真宗光明団本部	住岡夜晃法語
讃嘆の詩	一九八七年	真宗光明団本部	住岡夜晃法語
讃嘆の詩（上巻、下巻）	二〇〇三年	樹心社	住岡夜晃法語
真理への道	一九三一年	光明団出版部	住岡狂風の説く「二河白道」（広島県連七十周年に復刻版刊行）
若い友のために（住岡夜晃選集第一巻）	一九七一年	山喜房佛書林	住岡夜晃全集からの抜粋

真実を求めて（住岡夜晃選集第二巻）	一九七一年	山喜房佛書林	住岡夜晃全集からの抜粋
不退転の歩み（住岡夜晃選集第三巻）	一九七一年	山喜房佛書林	住岡夜晃全集からの抜粋
女性の幸福（住岡夜晃選集第四巻）	一九七二年	山喜房佛書林	住岡夜晃全集からの抜粋
現代に生きる（住岡夜晃選集第五巻）	一九七二年	山喜房佛書林	住岡夜晃全集からの抜粋
花日記	一九九八年	真宗光明団本部	住岡絹家（妻）の日記、随想等
真宗光明団六十年史年表	一九八〇年	真宗光明団本部	光明団活動の六十年の記録
真宗光明団八十年史年表	一九九九年	真宗光明団本部	光明団活動の六十一～八十年の記録
真宗光明団百年史年表	二〇一八年	真宗光明団本部	光明団活動八十一～百年の記録
コスモスの花	一九九〇年	真宗光明団本部	真宗光明団創立七十周年記念誌
住岡夜晃先生と真宗光明団	二〇〇八年	真宗光明団本部	真宗光明団創立九十周年記念誌
光明団と広島師範と軍港宇品と原爆といま	一九九三年	関係有志	原爆当時の回想と記録

あとがき

第四巻は一九三六年（昭和十一年）から一九四四年（昭和十九年）、住岡夜晃の四十二歳から五十歳までの文章を集めたものです。名前を変え、創立二十周年を迎え、本願の第十八願や『浄土論註』を深く領解するなどした、生涯後半の充実の十年と言うべき時でしょう。

しかし、時代は深刻さを増し、国内では一九三六年に二・二六事件が起こり、中国大陸では盧溝橋事件が起こって日中戦争へ拡大し、一九四一年には米英に対して宣戦布告し、太平洋戦争に突入しました。政府は宗教団体へ挙国一致運動を要望し、「神国日本」へと国民の意識は大きく動かされていく時代でした。

この中にあって彼は、四十二歳の時、二十代に名のった「狂風」の名を、闇の世を照らす寂静の光に生かされんことを念じて「夜晃」へと変え、二年後には真宗光明団創立二十周年を迎えます。「汝は大法のために死ね」との心の声を聞いて、誤解や非難の中を歩み抜き、「一切あるがままを黙って頂いて、一筋の道を歩ませて頂く」生き方を見出した時期でもあります。

春季講習会が始められ、夏季講習会、報恩講とともに、一週間の会座である三大講習会がこれ以降毎年開かれ、お聖教を深く丁寧に頂く獅子吼の歩みが続けられました。四十三歳の時に「私はこの七八か年が間、ただわれらが歩みを内へ内へと転じて、ひたすらに純化の一道を志してきた。そしてこの内部へ内部へと向けられた歩みは、かなりの成果をおさめてきた」と、また四十五歳の時に「私はここ数年、原典についての講義以外に話さない。……一言一句の上に急がず焦らず、全一なるものを見ていこうとする」と述懐しています。

長文のために掲載できなかったものとして、如来本願の中心である第十八願文とその成就文について領解した「如来本願の真意」（四十四歳）、天親菩薩の一心の意味を尋ねた「回向の心行」（四十三歳）、『浄土論註』の善巧摂化章などを講じた「柔軟心」（四十三歳）などがあります。

本巻は全六章で構成されています。

第一章「一筋の道」は、「念願は人格を決定す　継続は力なり」の言葉のもとに念仏一道を歩み抜く姿を述べます。

第二章「正法に忠実なれ」は、凡夫の自己に帰り、永遠の道を求め尋ねて一心に進まんとする者の姿を描きます。

第三章「回向のみ名」は、「弥陀の名号となえつつ」と、深い信心の世界を讃える親鸞聖人の和讃のお心を聞いていきます。

第四章「信をとらぬによりて悪きぞ」は、教化を受け讃嘆談合し信心を深めていくことの大切さが説かれます。

第五章「如来本願の真意」は、清浄真実なる悲願のすべてである南無阿弥陀仏に帰ることを説きます。

第六章「御同朋と共に」は、改名の経緯と、「ただ、大法の如く歩んで恐れざれ。真実のみ末通りたもうが故に」という結論と確信に至った真宗光明団二十周年記念の時を描きます。

なお、一九四〇年八月（四十六歳）に、『光明』と『聖光』は廃刊となり、これ以降終戦までの文章はありません。

二〇一八年八月十五日

『新住岡夜晃選集』第四巻編集委員　**岡本英夫**